現代史は地理から学べ

宮路秀作

SB新書
626

目次

第2章　現代史の「要衝」を地理学で考える

第3章　現代史の「宗教」「民族」を地理学で考える

第4章　現代史の「経済」を地理学で考える

第1章

なぜ「地理」から現代史を学ぶのか？

歴史には「解釈」があるが、地理には「事実」がある

突然ですが、質問です。

みなさんは、「歴史的事実」とはどのようなものだと思いますか？

古来、言い伝えられてきたことが「歴史的事実」なのでしょうか。

それとも古文書に記されていることが「歴史的事実」なのでしょうか。

たしかに、これらは歴史的事実を推し量る一つの材料ではあると思います。

古来、このように言い伝えられてきたから、そうなのであろう。

古文書にこのように記されているから、そうなのであろう。

でもご覧のとおり、ここでいえるのは「なのであろう」ということだけです。

しかも、昔から「歴史は勝者によって作られる」なんて言われているとおり、「歴史的事実」が後世の人々によって都合よく消し去られたり、書き換えられたりしてき

た可能性は、かなり大きいといえます。

そのうえで語られる「歴史的事実」を「事実」と呼ぶには、かなり心許ないのではないでしょうか。それは100％正しいとはいえない口伝や文書の破片を寄せ集め、ようやく導き出された「こうなのであろう」という「解釈」にすぎないからです。

であれば、私たちにはもう「歴史的事実」を知る術などないのでしょうか？

そこで歴史の解釈に「確からしさ」を加味し、より事実に迫るために役立つものが地理学であると私は考えています。

というのも、地形や気候、立地といった地理的条件は、誰にとって都合がよかろうと悪かろうと動かしようのない事実だからです。

もちろん恐竜の時代と比べたら、火山の大噴火や大陸移動、海水準変動などで陸地の形が変わっているところもあるでしょう。また、人間の歴史上、温暖化による海面上昇といったマイナーチェンジは無数にあります。しかし少なくとも現代史を語るうえで、地理的条件は不変、そして不動の条件であるといえます。

例えば、平安時代でも鎌倉時代でも江戸時代でも、そして令和のこんにちでも、「富士山」の位置は変わりません。仮に時の為政者が「富士山は京都にあったことにしよう」なんて目論んでも、すぐに嘘とわかってしまうので無理な相談です。

地理的条件は、誰が何と言おうと動かしようのない事実です。だからこそ、歴史を理解するために、その歴史の舞台となった場所の地理を知ることが欠かせません。歴史を見る際に「地理」という視点を一つ介在させてみると、単なる「解釈」を超えた「事実」に近づくことができるわけです。


1つ例を挙げましょう。

1582年、織田信長が本能寺の変で自害したことを知った羽柴秀吉が、戦闘状態にあった毛利氏との講和を速やかにまとめ、爆速で備中高松（岡山県岡山市）から山城山崎（京都府乙訓郡大山崎町）に行軍したという有名な逸話があります。

果たして、このとき秀吉は何を考えていたのか。きっと長く仕え、慕ってきた信長の訃報に涙に暮れながらも、打倒・明智光秀の一心で京都を目指したのであろう——というのは歴史の解釈です。または我々が作り出した美談といえます。

では、この「中国大返し」の地理的な「事実」とはどのようなものでしょうか。

秀吉軍は、約10日間で230キロメートルを踏破したとされています。今では新幹線で1時間前後の距離ですが、鎧兜などの運搬は別の者に任せ、身一つで走り抜けたとはいえ、2万人を超える大軍の行軍となれば「歴史的偉業」「神業」といわれているのもうなずけます。

次ページの図は、私の心強いパートナー「地理院地図」を使って作製したものです。秀吉の中国大返しのルートと考えられるところを海抜0メートル、2メートル、5メートル、10メートル、25メートルで色分けすると、秀吉軍はみごとに「山」を避けている。たった1カ所、高松城と姫路城の間にある峠だけは避けようがないのですが、文献と合わせると、そこをたったの2日間で通り抜けたことがわかります。

なぜなら姫路城に至るまでは敵だらけだったからです。姫路までたどり着きさえすれば、それ以降は交渉次第で自分に味方してくれる武将がいた。だから、とにかく高松から姫路までの峠越えを成し遂げたわけです。

【図1−1】中国大返し

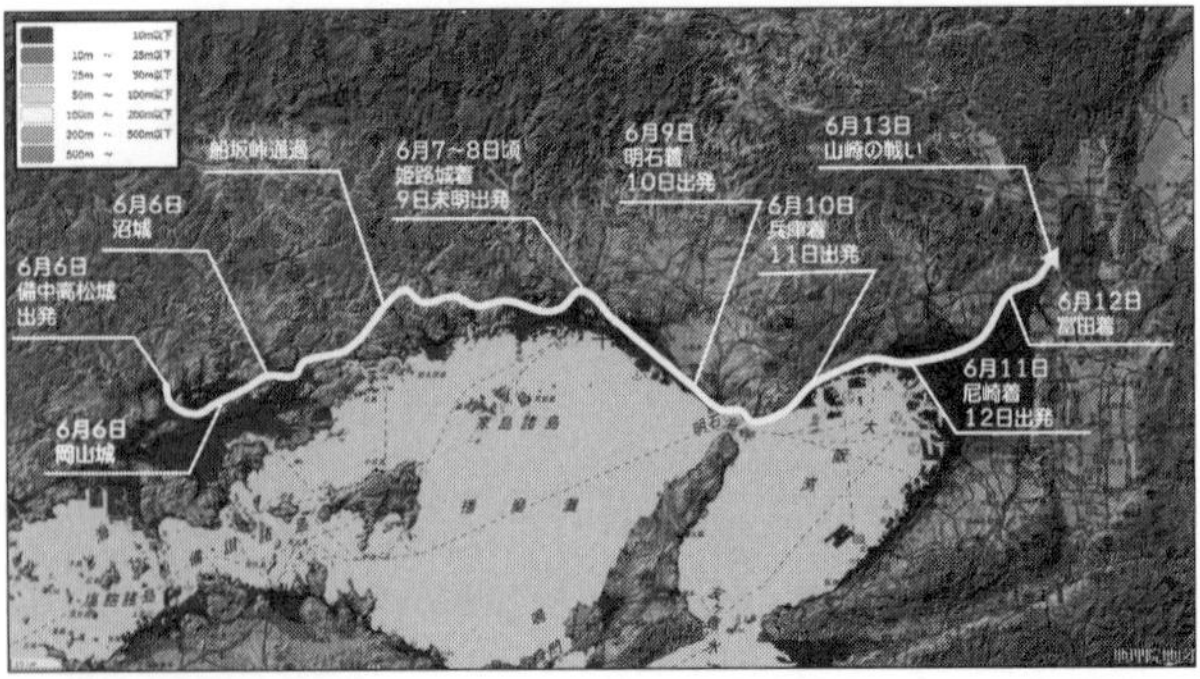

（出典）地理院タイルに中国大返しルートを追記して掲載

「本能寺の変を知った秀吉は、涙に暮れながらも打倒・光秀の一心で京都を目指した」

というのは先ほども述べたとおり、歴史の解釈の一つに過ぎません。

「本能寺の変を知った秀吉は、約10日間で岡山から京都まで移動した」

というのは事実ですが、これだけ聞いても、「ふーん」としか思わない人が多いのではないでしょうか。「移動距離230キロメートル」という情報と合わせても、「当時としては、すごいことだな」と少し想像してみる程度で終わってしまいそうです。

そこに秀吉軍が通ったであろうルートと地形を合わせてみると、最初の峠をどれだけ必死の思いで駆け抜け、その後は巧みに山を避けながら京都を目指したのかを、ありありと思い描くことができるでしょう。

最終的に歴史をつくっているのは、感情のある人間です。そして、まず地理的な事実にアプローチしてこそ、そのとき、その出来事における人間の感情のありようをも踏まえて歴史をより深く理解できるのです。

先ほど、歴史の解釈に「確からしさ」を加味し、より事実に迫ることに役立つものが地理学である、と述べたのはこういうことなのです。

地理という事実をかけ合わせると、「何がどのようにして起こったのか」という歴史の真実に迫ることができる。本書では「現代史」に絞って、みなさんとともに、そんな知的冒険をしていきたいと思います。

「地政学」と「地理学」は同じ学問？

ここでまたお聞きしてみたいのですが、「地理学」というと、みなさんは、どのようなことを探究する学問だと思い浮かべるでしょうか。

さまざまな国や地域の自然環境にフォーカスする学問。そこから社会、経済、文化を読み解く学問。そのとおりです。1つ付け加えると、地理的条件から「政情」を読み解いたりもします。

そうなると決まって出てくるのが「地政学」という言葉です。特にここ数年、ずいぶんと流行しているようで、書店でも「地政学」の棚はあるのに「地理学」の棚は設けられていない。あっても非常に影が薄いといったありさまです。

地理学と地政学。私もかつては両者の違いについてあまり深く考えずに、自分の書籍のなかで「地政学」という言葉を使ったこともあります。でも今では明確に分けています。というより、意識的に「地政学」という言葉を使うことを避けていています。

そもそも「地政学」とは、第二次世界大戦以前にスウェーデンの地理学者が唱えた概念「ジオポリティーク」に由来します。

ジオポリティークの一番のキーは「収容可能人口」、つまり「1つの土地にどれくらいの人間が住めるか」という理論でした。これを利用したのが、ヒトラーです。「ドイツは収容可能人口を超過しているから、他国に打って出て領土を広げなくてはいけない」——そんな「ドイツ人の生存圏拡大」という大義名分のもとで、ナチス・ドイツはポーランドを皮切りに東ヨーロッパを手中に収めようとしました。

こうした考え方は、当時、ドイツと同盟関係にあった日本にも流入しました。折しもノモンハン事件で北方進出を断念せざるを得なかった日本が、南方に目を向け始めたころのことです。

今度こそ進出を成功させるためには、現地の地理的な情報が欠かせない。ということで、「八紘一宇」の思想のもと、京都大学地理学教室など地理学の学者たちが、軍部の要請により「地政学」研究にいそしみました。

つまり日本における「地政学」とは、地理学を戦争利用するために生み出された概念です。この厳密な意味で「地政学」を捉えるのであれば、私が日々、学生たちに教え、また本書でみなさんと一緒に見ていこうとしているものは「地政学」ではないと考えます。

さまざまな地理的条件から現代史を読み解いていく。地理という不動の条件を手がかりに、単なる「解釈」を超えた「事実」に迫る。私が本書を通じて知っていただきたいのは、そのためのツールとしての「地理学」なのです。

地球上を「引き」で見たり「寄り」で見たりする学問

地理学がまず対象とするのは「地球」です。そして「地域」です。

（海底を含めた）地形がどうなっているか。その地形によって、どんな現象が引き起こされているか。こうしたマクロな視点をもって個別の国や地域にフォーカスしてみると、それぞれの社会的、文化的、経済的、政治的な事情が見えてきます。

このようにマクロとミクロを行き来する、いわば地球や各地域を「引き」で見たり「寄り」で見たりすることで普遍的な事実を積み重ね、歴史を理解する、あるいは未来を予測するというのが地理学の基本です。マクロとミクロ、どちらが正しいかということではなく、スケールによって見えるものが異なるというだけの話です。

ここで本書を読み進めていただく前のウォーミングアップといった感じで、地理学を使った考察というものをいくつか例示しておきましょう。

練習問題①――地理でわかる「地震多発地域」はどこ？

例えば、太平洋をぐるりと取り囲んでいる「環太平洋造山帯」というものがあります。地理の教科書で習った覚えのある方もいらっしゃるでしょう。このマクロな視点をミクロに絞り込んでみます。

【図1−2】世界のプレート

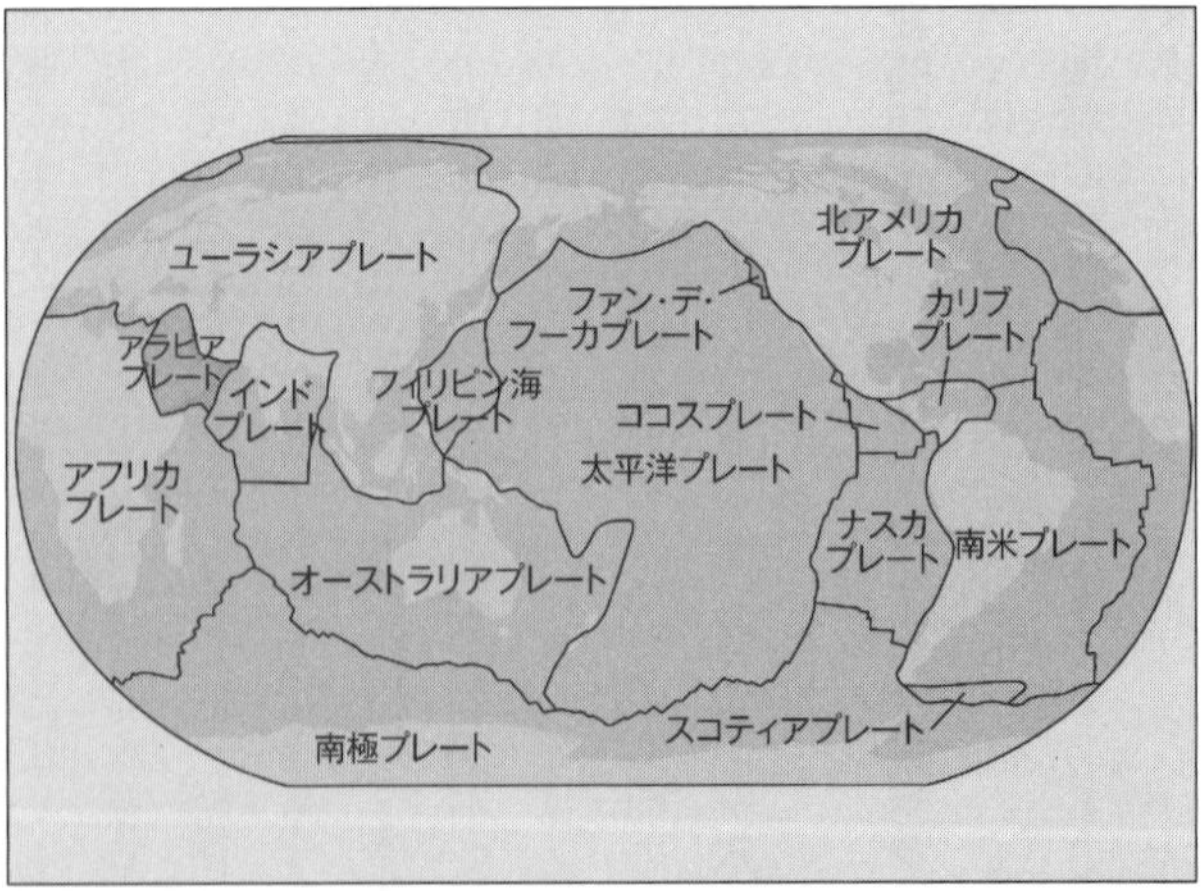

(出典) 広島大学 中久喜伴益さんホームページ掲載図
https://geophys.hiroshima-u.ac.jp/nakakuki/plate_mantle/pm1.html

造山帯とはプレートの境目である変動帯ですから、その真上に存在する国や地域は、火山が多く、また地震多発国(地域)となります。

通常の地図上で見る限り、地球は単なる陸地と海の連続です。それだけ見ていても、地震は、いつどこで起こるかわからない災害、いってみれば偶発的な不運としか思えないでしょう。でも「プレート」という地理的条件の視点を一つ挟むと、特に教えられなくても「地震多発国」

【図1−3】日本列島と4つのプレート

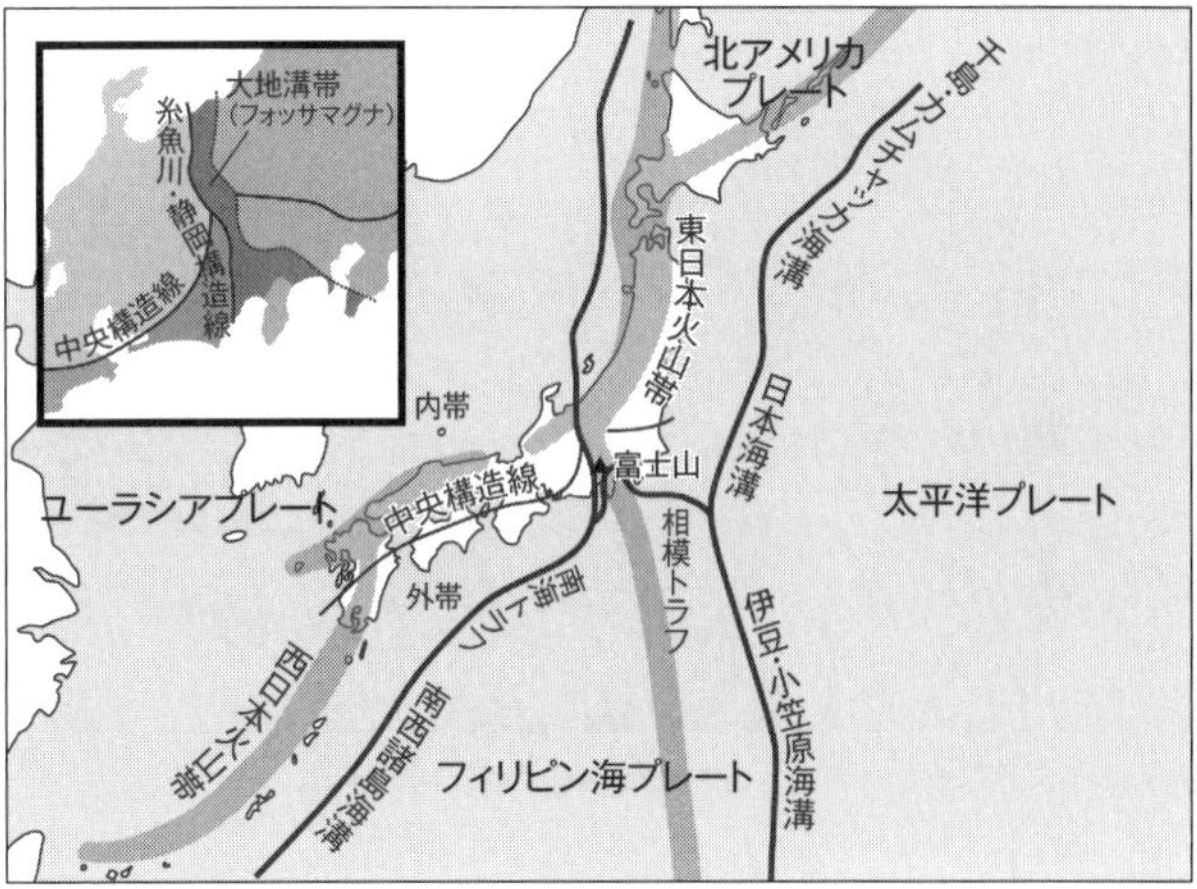

（出典）『目からウロコのなるほど地理講義（地誌編）』

が手に取るようにわかります。

ためしに上の地図を見て、「うわ、地震が多そうだな……」という地域を指差してみてください。鍵は、先ほど述べた「プレートの境目の真上にある土地は地震が起こりやすい」という地理的事実です。

まず日本が地震多発国であるというのは、日本人なら誰もが「経験上」、知っていることでしょう。それは、日本列島が４つのプレートにまたがって位置し

【図1−4】プレートの狭まる境界・沈み込み型

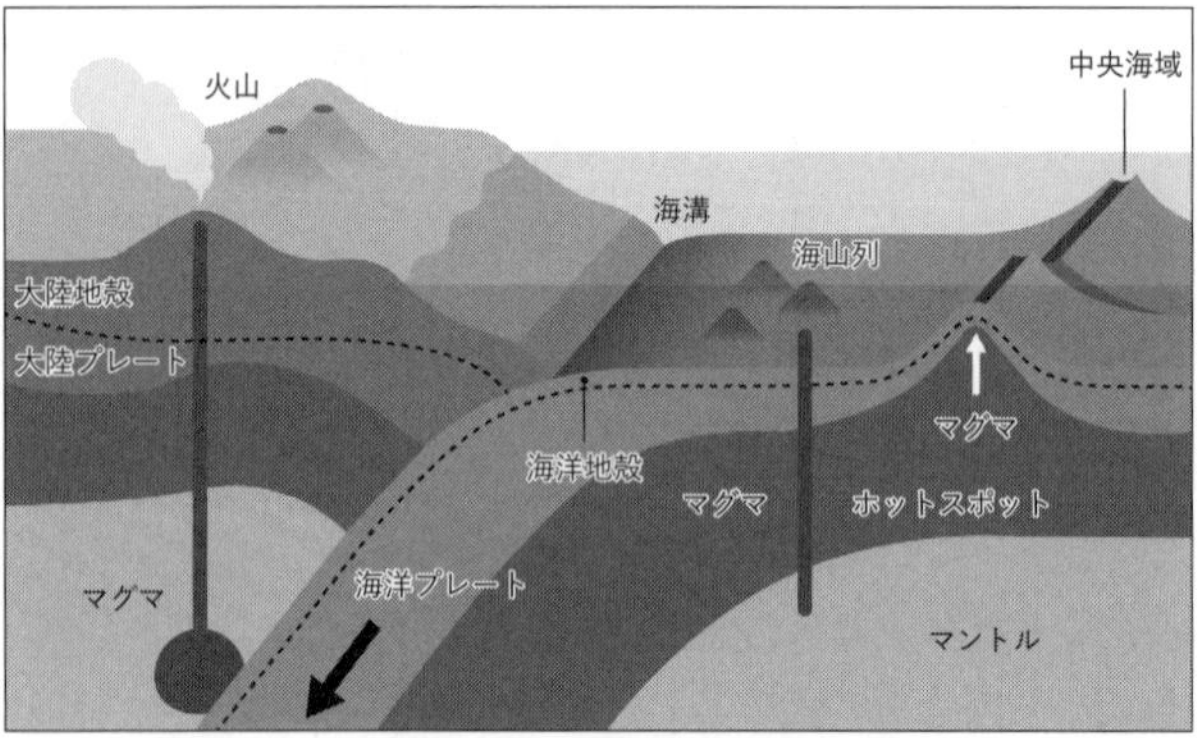

（出典）『目からウロコのなるほど地理講義（系統地理編）』

ているからです。

太平洋プレートやフィリピン海プレートといった重い海洋プレートが、ユーラシアプレートや北アメリカプレートといった軽い大陸プレートの下に沈み込むことで海溝を作り出します。沈み込む際に、地震が起きて火山を形成します。

沈み込んだ海洋プレートが100キロメートル以上の深さにまで達すると、地下深くに形成されたマグマが浮き上がり、陸

【図1−5】世界の地震の発生地

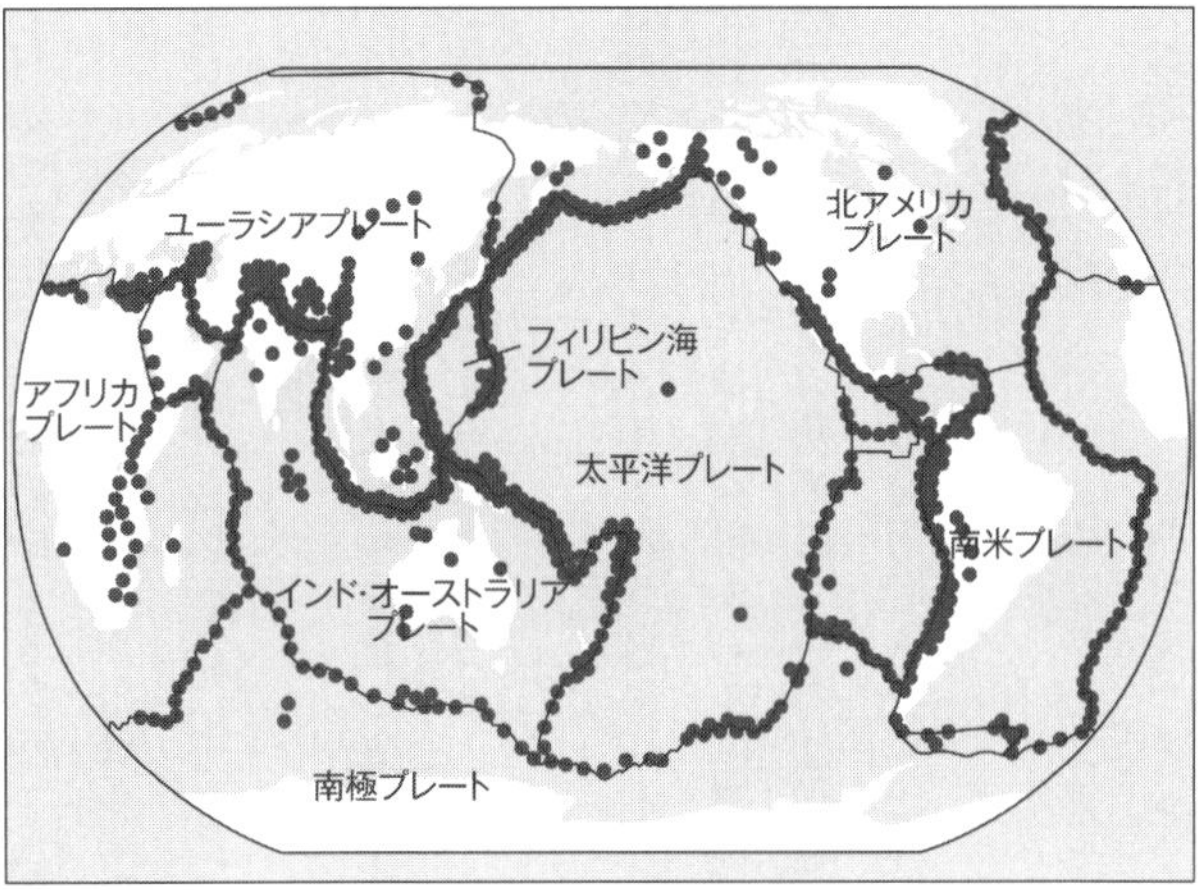

（出典）『目からウロコのなるほど地理講義（系統地理編）』

地が隆起します。これが火山です。現在の日本列島はこうして形成されたため、日本列島における地震発生数や活火山の多さは世界的に見ても群を抜いて多くなっているわけです。

日本の国土面積は、世界の陸地面積に対してわずか0・25%しかありません。

にもかかわらず、2010〜2019年の10年間で発生したマグニチュード6・0以上の地震は、世界全体で1496回、うち日本で発生したものが262回を数えました。割合にして17・5%——我々日本人が、いかに厳しい自然環境下に身を置いているかがわかります。海に囲まれた緑豊かな日本列島の「自然」は、同時に、いつなんどき大災害をもたらすかわからない「自然」でもあるのです。

では、その他の答え合わせをしましょう。図1－5の図をご覧ください。地図上のプレートをなぞるように指差した人は、みんな「正解」としていいでしょう。

直近でも2023年2月6日に、トルコ南東部のガズィアンテプを震源とする大地震が起こり、トルコ南東部からシリア西北部にかけて大きな被害が出たばかりです。紛争地帯であるシリアについては詳細がなかなか伝わってきませんが、トルコだけでも、およそ約1400万の人たちが住む場所を失い、死者数は約5万人にも上ると見られています。

今、本書を読んでいるみなさんにとっても、もっとも記憶に新しく、胸を痛めている大規模自然災害は、このトルコ・シリア大地震ではないでしょうか。というわけで、この地域の地震の起こりやすさをもう少し詳しく紐解いておきましょう。

トルコもまたプレートの境界に位置する国です。トルコ周辺にはユーラシアプレート、アラビアプレート、アフリカプレート、エーゲ海プレート、アナトリアプレートの5つのプレートが存在します。

現在、アラビアプレートはアフリカプレートから離れて紅海を形成していますが、これは紅海が広がる境界上に位置しているということでもあります。

アラビアプレートはこれより北東方向へと移動し、ユーラシアプレートと衝突してザグロス山脈を形成します。衝突する際に褶曲《しゅうきょく》構造を作り出すため、ペルシア湾周辺は原油の埋蔵が多い地域となっています。

トルコが位置するアナトリア高原は、ほとんどがアナトリアプレート上に位置しています。その南東側にはアラビアプレートが位置して北上しており、これがトルコ南東部の断層に歪みをためています。

トルコ・シリア大地震は、南東部を横切る東アナトリア断層で発生した地震と考えられていて、断層に沿っておよそ190キロメートルを超える範囲でずれ動き地震が

【図1−6】東京を中心とした190キロメートルの等距離圏

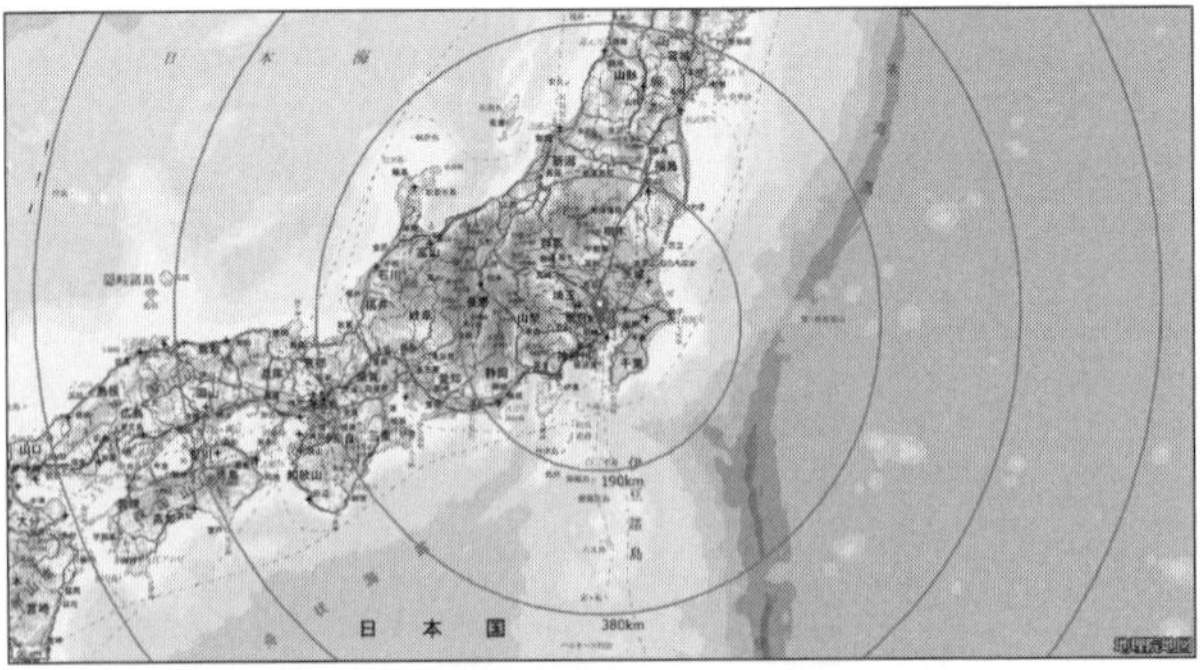

（出典）電子地形図25000（国土地理院）を使用し著者が作製

発生したとのことです。

また地震の深さがわずか18キロメートルと浅かったことも、被害拡大につながったようです。地震発生からわずか5分後にデンマーク、8分後にグリーンランドでそれぞれ揺れを観測したという情報もありますし、阪神・淡路大震災を引き起こした兵庫県南部地震の20倍もの大きさだったともいわれています。

上の図は、東京を中心とした190キロメートルの等距離圏を表した主題図です。実に広い範囲が網羅されていることが見て取れます。トルコ・シリア大地震を日本列島に当てはめると、「東京から長野県あたりまではすべて揺れた」ことになるのです。

アナトリアプレートは北側のユーラシアプレートとの間に北アナトリア断層を形成しています。その長さは東西に１２００キロメートルにも及びます。

アナトリアプレートの移動速度は、ユーラシアプレートに対して、相対的に20～25ミリメートル／年の速度。それほど速くはないようですが、長い年月をかけて歪みが蓄積されていきます。こうしてトルコは、北部と南東部に大きな断層を抱える国となっているわけです。

また、アナトリアプレートの西側にはエーゲ海プレートが存在し、プレートの境界となっているため、トルコ西部でも地震が発生することがあります。

１９００年から２００３年の間に、死者が発生したマグニチュード6以上の地震は合計で72回。ほぼ1年半に一度は発生している計算です。さらにマグニチュード7・0以上の地震に限定すると実に14回も発生しており、およそ7年に一度の割合で起こっています。

練習問題②——メキシコシティの大気汚染を深刻化させている地理的条件とは？

地理学の「使い勝手」とはどういうものかを捉えていただくために、プレートの境界に位置する地震多発国のうち、もう一つ、中央アメリカのメキシコに注目してみましょう。「地理的条件」という普遍的な事実を積み上げると、メキシコのこんな実態が見えてくるのです。

①メキシコは、環太平洋造山帯に位置する、火山が多い、地震多発国。
②変動帯に位置して、標高が高い。特にメキシコシティは「メキシコ盆地」に位置し、標高3000〜4000メートル級の山や火山に囲まれている。メキシコシティ自体の標高も最低2200メートル〜最高3930メートルと非常に高い。
③標高が高いということは酸素が薄い。そして空気が薄いと自動車のガソリンが不完全燃焼を起こしやすいため、一酸化炭素が多く排出される。ここに「山々に囲まれた

盆地」という地理的条件が合わさり、汚れた空気の逃げ場がない。

そのため、メキシコシティは、世界でも大気汚染が深刻な都市になっているのです。「メキシコシティでは大気汚染が深刻化している」という話は、ひょっとしたらどこかで聞いたことがあるかもしれません。でも、それだけだと、ただ単一の都市の事情を知っただけでおしまいです。

一方、「標高が高い盆地にある都市では、自動車のガソリンの不完全燃焼で排出された一酸化炭素が滞留しやすいため、大気汚染が深刻化しやすい」という因果関係がわかっていると、「メキシコシティの大気汚染」をより深く理解できます。

そして本質的に物事を理解していると、似たような条件では似たような問題が起こりやすいことも容易に想像がつきます。地理的条件という視点があると、ある1つの土地に見られる傾向を、ほかの似たような条件の土地にも当てはめることができる。個別具体を普遍化、一般化して物事を理解できるようになるのです。

例えば、メキシコシティのように「標高が高い盆地」に位置する都市を見たときに、

【図1−7】メキシコ

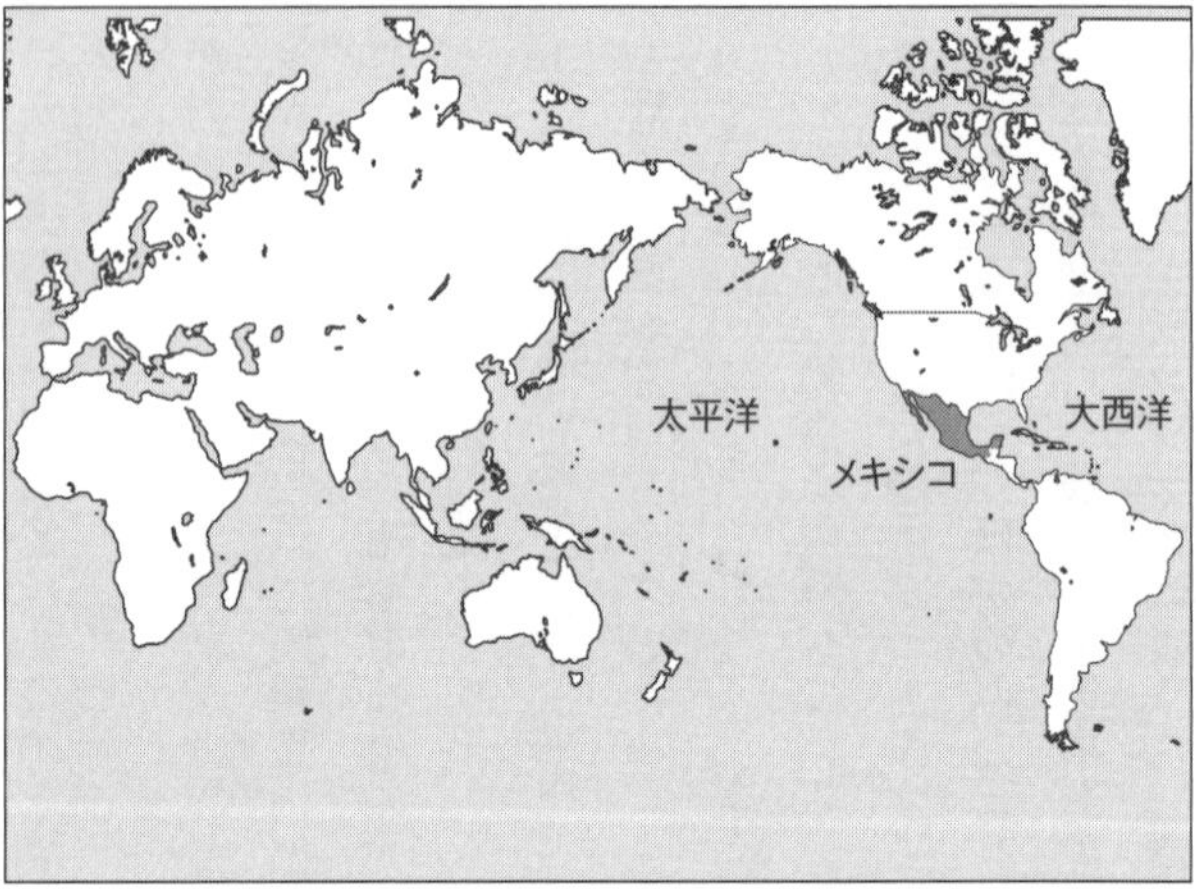

「そこでも大気汚染が深刻化しているのではないか」と推測できるわけです。

練習問題③——メキシコとトルコの共通点は何？

また、メキシコといえば世界50カ国と自由貿易協定（ＦＴＡ）を結んでいる（２０２３年5月現在）というのも、周辺国と比べて突出している点です。ではなぜ、そこまでメキシコは貿易に力を入れるのか。地図を見ればメキシコの持つ「地の利」が一目瞭然です。

ご覧のとおり、メキシコは北アメリカ大陸がシュッと細くなっているところにあり、太平洋側にも大西洋側にもアクセスがいい。メキシコが貿易に力を入れているのは、この地の利を生かした経済発展を目指すことができるからといえます。

海は貿易上、欠かせない通路であり、複数の海に接している国は貿易に有利です。いってみれば「関所」を握っているようなものですから、その関所を通らないと他国に輸出できない国に対して強く出ることができます。

そう考えてみると、メキシコと同様の地理的条件の国が思い浮かびませんか？

例えばトルコです。トルコは、かつてはオスマン帝国として世界に君臨した国であり、今でも小国ながらヨーロッパでの発言力が強い。それは黒海からマルマラ海、マルマラ海から地中海へと至る2つの海峡を擁しているからにほかなりません。

トルコはモントルー条約によって、その2つの海峡、ボスポラス海峡とダーダネル

【図1−8】トルコ、ウクライナ、ロシア、イラン

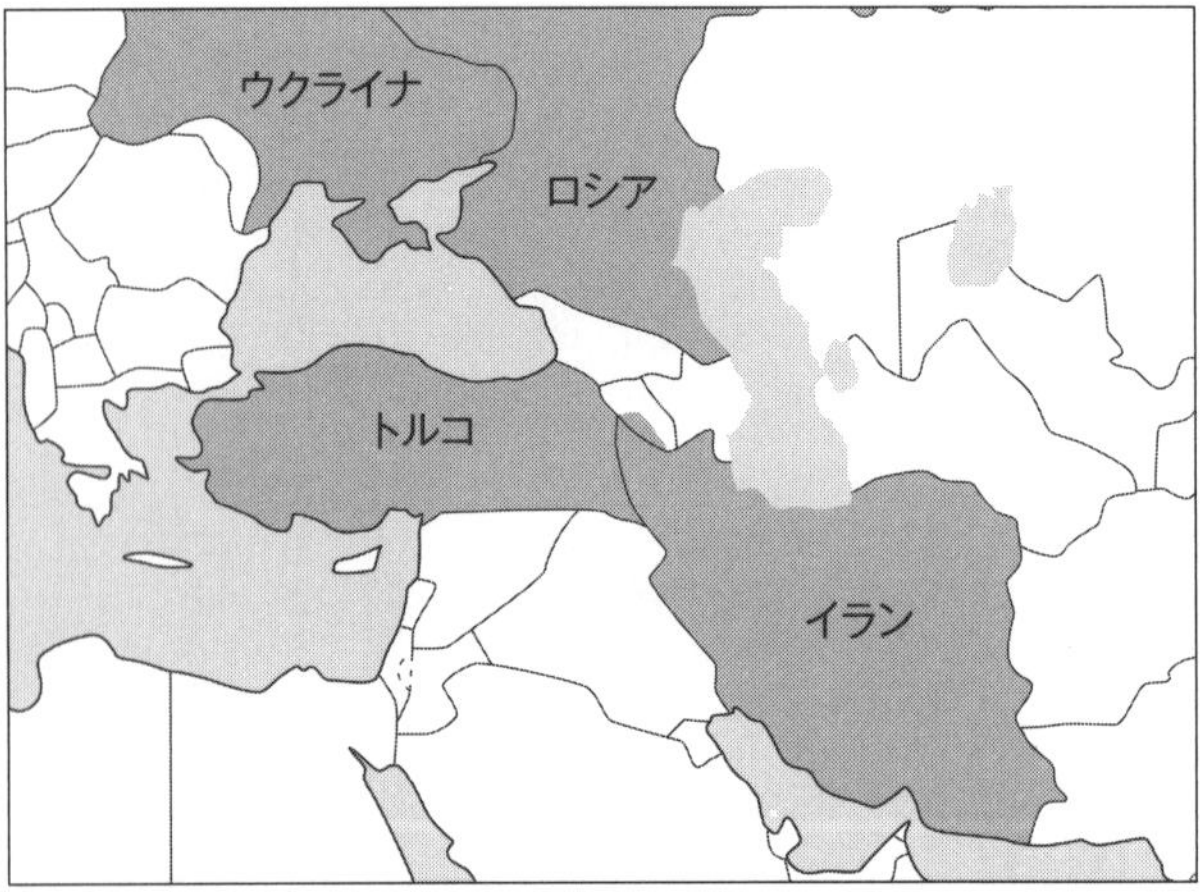

ス海峡に対する主権が認められています。つまり、黒海から地中海へと至る通商ルートの鍵はトルコが握っているわけです。

では黒海から地中海へと至る通商ルートを重要視するのは、どこの国でしょうか。

ロシアとウクライナです。両国は世界的な小麦の生産国・輸出国であり、最大の「お得意様」は、黒海を渡り、地中海に出てすぐ先にある人口1億の国、エジプトです。トルコの2つの海峡を通ってエジプトへと小麦を

輸出することは、ロシア、ウクライナにとって経済の要なのです。

目下、世界はロシアによるウクライナ侵略で揺れていますが、ロシアとしては、稼ぎ頭である小麦の輸出ルートを握っているトルコを刺激したくありません。そもそもトルコは、ロシアの小麦の輸出先でもあります。

言い方を換えれば、ロシアとウクライナの仲介役を務め、戦争を止めることに一役買えるのは、欧米の国でも中国でもなくトルコしかいないと見ることもできるのです。

ただしロシアにはもう１つの輸出ルートがあります。再び地図を見てみると……、そう、黒海ではなくカスピ海を通ってイランに小麦を輸出することができます。

人口約８８００万のイランは、エジプトほどではないまでも、かなり大きな市場には違いありません。というわけでロシアには、「イランとは仲良くしなくてはいけない」という切実な事情もあるのです。

２０２１年9月、イランは、オブザーバー国として参加していた上海協力機構への正式加盟を認められますが、これはロシアの手引きによるものと見られています。また、ロシアではカスピ海の北西部を保養地に整備し、イランから観光客を呼び込もうという計画もあるようです。

こうした動きからも、イランとの関係性を強めておきたいというロシアの思惑が透けて見えます。

地理学は「万能」ではない

環太平洋造山帯からメキシコ、トルコ、ロシア、ウクライナ、イランにまで話が広がってしまったので、いったんこのへんでやめておきましょう。

とにかく地理的条件を踏まえて世界地図を眺めてみると、どんどん話が広がってキリがないほど世界のさまざまな実情が見えてくるのです。

地理的条件という普遍的な事実を地域性に落とし込む。そこで見えてきた地域性を、また普遍的に広げて、他の国や地域にも当てはめてみる。

こうして地球や各地域を「引き」で見たり「寄り」で見たりすることで「空間認識力」が高まると、世界の歴史や文化、政治、経済に対する理解力が上がります。自分の頭で考え、仮説を立て、検証するという力を伸ばすという点でも、地理学は非常に有用といえます。

ただし、地理学を万能であるかのように考えると、ある地理的条件とある現象を単純に結びつけただけの「環境決定論」という落とし穴に陥る危険があります。

この世界は複雑です。さまざまな要素が複雑に絡み合って、１つの現実を作り出しています。いわばモザイクなのです。

円柱を上から見れば円、横から見れば長方形にそれぞれ見えるように、複眼的に物事を見るという前提意識が、罪深い短絡思考に陥ることなく、世界をさまざまな角度から捉える際に、地理学視点は必要不可欠です。

地理学は「知識の獲得手段」である

歴史は往々にして、壮大な人間ドラマのように語られがちです。「歴史小説」ならそれでもいいでしょう。しかし歴史の真相に迫るうえでは、人間ドラマとして扱うというアプローチは得策ではないと思います。なぜなら、物語性に目を奪われるあまり、本質を大きく見誤る可能性があるからです。

歴史とはつまるところ、不動の事実、つまり、それぞれの時代の地理の積み重ねです。

もちろん歴史は人間が作るものであり、有史以来、あらゆる物事は、その時々の為政者など主要人物の思想や判断、決断によって動いてきました。そういうところが歴史を学ぶ醍醐味であるという見方を否定はしません。

ただし決して忘れてはいけないと思うのは、あらゆる判断、決断には地理的条件という不動の事実が関係していることもあるはずだ、ということです。

日本なら日本の地形や気候といった不動の地理的条件があり、その上で自分や自らが所属するコミュニティーが栄えるよう、必死にその時々の決断を積み重ねてきたものが人間の歴史であるといっていいでしょう。

ですから、地理学は、それ自体が「知識」なのではありません。

地理学は知識を獲得するための手段、ツールといえます。地理学というフィルターを通してみると過去に起こってきたこと、今まさに起こっていることをより深く理解できる、そのうえで未来予測を立てる能力も身につくと考えています。

地理学では、よく「景観がわかるようになる」という表現をします。地理的条件に注目すると、その土地で何が起こっているのかが見えてくるという意味です。

例えばニュージーランド、北島南部を南緯40度が通過し、偏西風帯に位置しています。

ニュージーランドは大きく2つの島に分かれていますが、色別標高図を見ると、次ページの図のように北島は平たんで、南島には北側から南側にかけて山が連なっています。

では、この南島に偏西風が吹き付けるとどうなるでしょうか？

北西から吹いた風は山地にぶつかって上昇し、風上側で雲を形成して雨を降らせます。そして風下側は風が吹き下ろすため、逆に空気が乾きます。つまりニュージーランドの南島は西部で雨が多く、東部で雨が少ないということです。そして、それは植生分布に大きな影響を与え、西部には森林、東部には草原がそれぞれ広がります。

ニュージーランドの主要産業は、酪農や牧羊、そして林業が有名です。「ニュージーランドは人間より羊の数のほうが多い」なんていう話を聞いたことがある人も多いと思いますが、今の地形と気候条件の話を踏まえると、もう一つ深く「ニュージーランドで起こっていること」を理解することができます。

なぜ酪農なのか？　ニュージーランドは全体的に降水量が少なく、特に北島では草原が広がるため、酪農に適した牧草地帯になっています。特別に飼料を用意せずとも、

【図1−9】ニュージーランドの標高地図

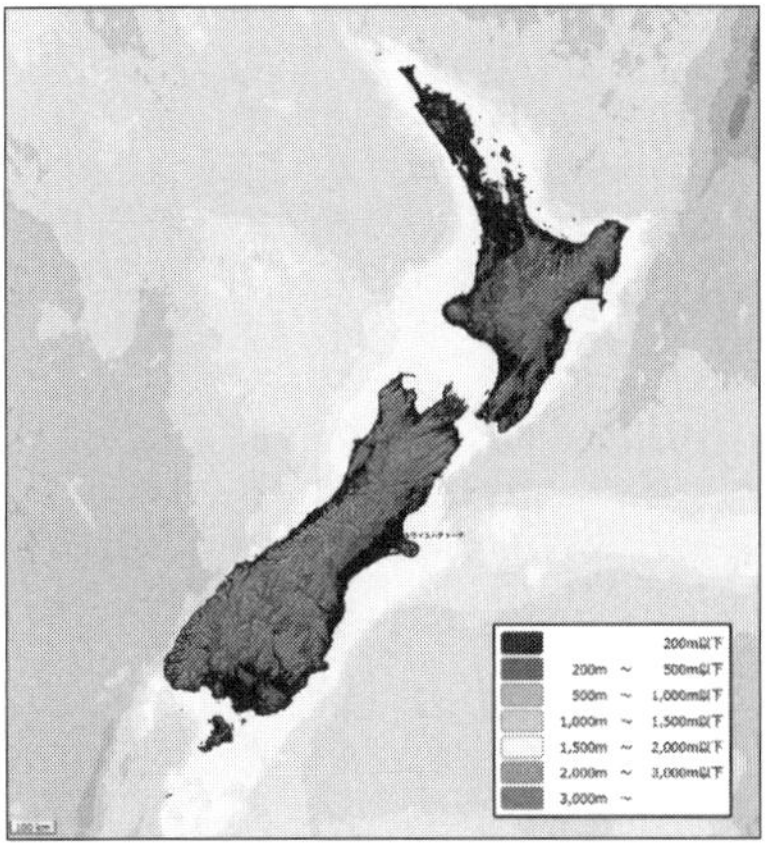

【図1−10】ニュージーランドの植生分布図

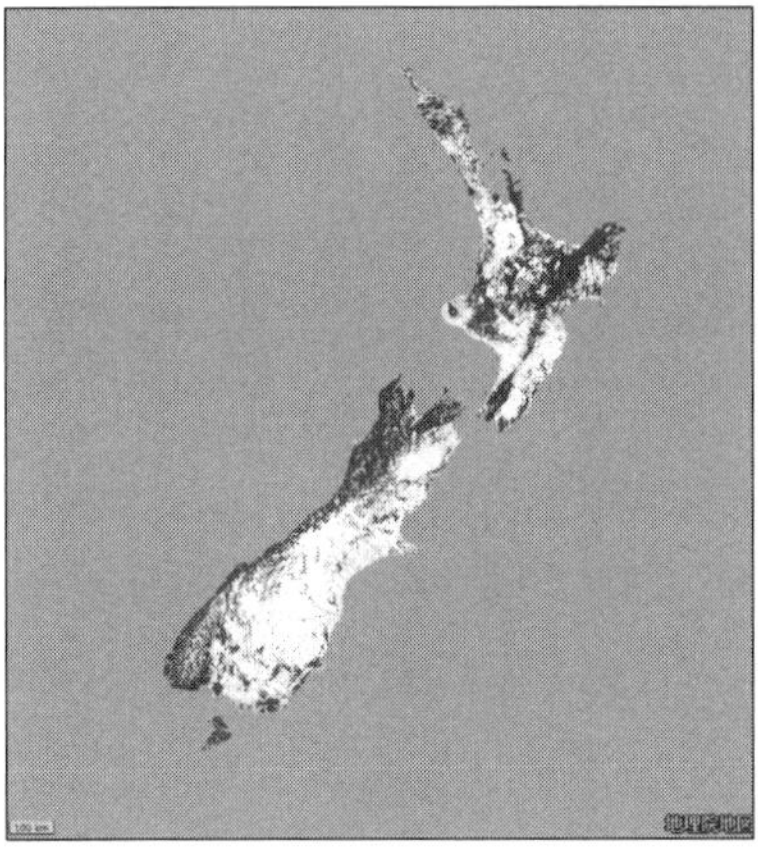

図1-9、10ともに
（出典）電子地形図25000（国土地理院）を使用し著者が作製

自然界から手に入るというわけです。また南島東部は山脈の風下側で降水量が少ないため、羊の飼育に適しています。

では林業はどうでしょうか。南島に山が連なっている緑豊かな国だから――これは地理的条件ですが、ここにもう一つ要素を足して考えます。というのも緑豊かな国でも、生産される木材のほとんどが国内消費されていたら輸出できません。

決して広い国土ではないにもかかわらず、林業が主要産業の一つになっている。これは、そもそも木材の国内消費量が少ないため、輸出余力が大きいということです。実際、ニュージーランドの人口は約500万と少なく、木材生産量はこの人口を補って余りある。だから輸出品目の上位に「木材」が登場するというわけです。

さて、そんなニュージーランドに、日本の王子製紙が工場を持っていることはご存じでしょうか。

工場があるのは、ニュージーランド北島東岸・ホークスベイにある「ネイピア」という街です。はい、もうおわかりですね。王子製紙のティッシュペーパー「ネピア」は、工場のあるニュージーランドの地名に由来する商品名なのです。

これが、地理的条件という事実を積み重ねることで見えてくるニュージーランドの「景観」の一つです。

そして、このように「事実を積み重ねて景観をつかむ」という練習をするほどに、地理的条件から勝手にその国や地域の景観が見えるようになります。知識を獲得するツールとしての地理学を身につけると、知識の獲得が効率的かつ的確です。

特に近年、様々なＧＩＳ（地理情報システム）が開発されています。

なかでも国土交通省・国土地理院が提供している「地理院地図」では、平面地図を色別標高図にする、ある地点からある地点への断面図を見る、災害の記録を重ねてみる、といった操作が一瞬で可能です。

地理院地図は、私にとっても予備校の授業の資料作りに、個人的な遊びや研究にと欠かせないツールになっています。もし本書で地理学に興味をもってくださったなら、ぜひみなさんも触ってみてください。無料です！　いろんな発見があると思います。

第2章

現代史の「要衝」を地理学で考える

台湾――
なぜ中国は、「何としても台湾が欲しい」のか？

台湾が「当代随一の要衝」となっている理由

時代は21世紀、植民地主義も帝国主義も、とっくに遠い過去のものとなっているというのに、中国は依然として他国に対する野心を隠そうともしていません。

その中国が掲げているのが一帯一路構想です。「一帯」とは陸路でヨーロッパに進出すること、「一路」とは南シナ海を経て太平洋へ進出、およびインド洋を経て東アフリカへ進出することを意味します。

中国が「一路」を成し遂げていくには、台湾を避けては通れません。中国にとって台湾は、「一路」達成のために「絶対に獲りたい場所」というわけです。

立場を変えれば、日本や欧米諸国など中国に「一路」を完遂させたくない側にとって、台湾は「絶対に中国に獲られてはいけない場所」です。異なる利害をもつ国々の思惑がぶつかる台湾は、まさしく当代随一の「要衝」といえるのです。

では実際に、中国が台湾に打って出ようとしたら、どうなるか。

中国大陸と台湾の間にある台湾海峡はユーラシアプレート上に位置し、水深が深くても100メートルくらいしかありません。一方、台湾の東側はフィリピン海プレート上に位置します。フィリピン海プレートは海洋プレートであるため、台湾の東側の海は、深いところでなんと水深5000メートルにも及びます。

このように台湾周辺の海域は、西側と東側とで水深が50倍ほども違う。この事実は意外と見過ごされているのではないでしょうか。さらに台湾島東部には3000メートル級の山々を擁する「中央山脈」が南北に走っています。

これらの地理的条件を総合すると、中国の思惑については、次のようなことがいえるでしょう。

【図2−1】中国の一帯一路構想

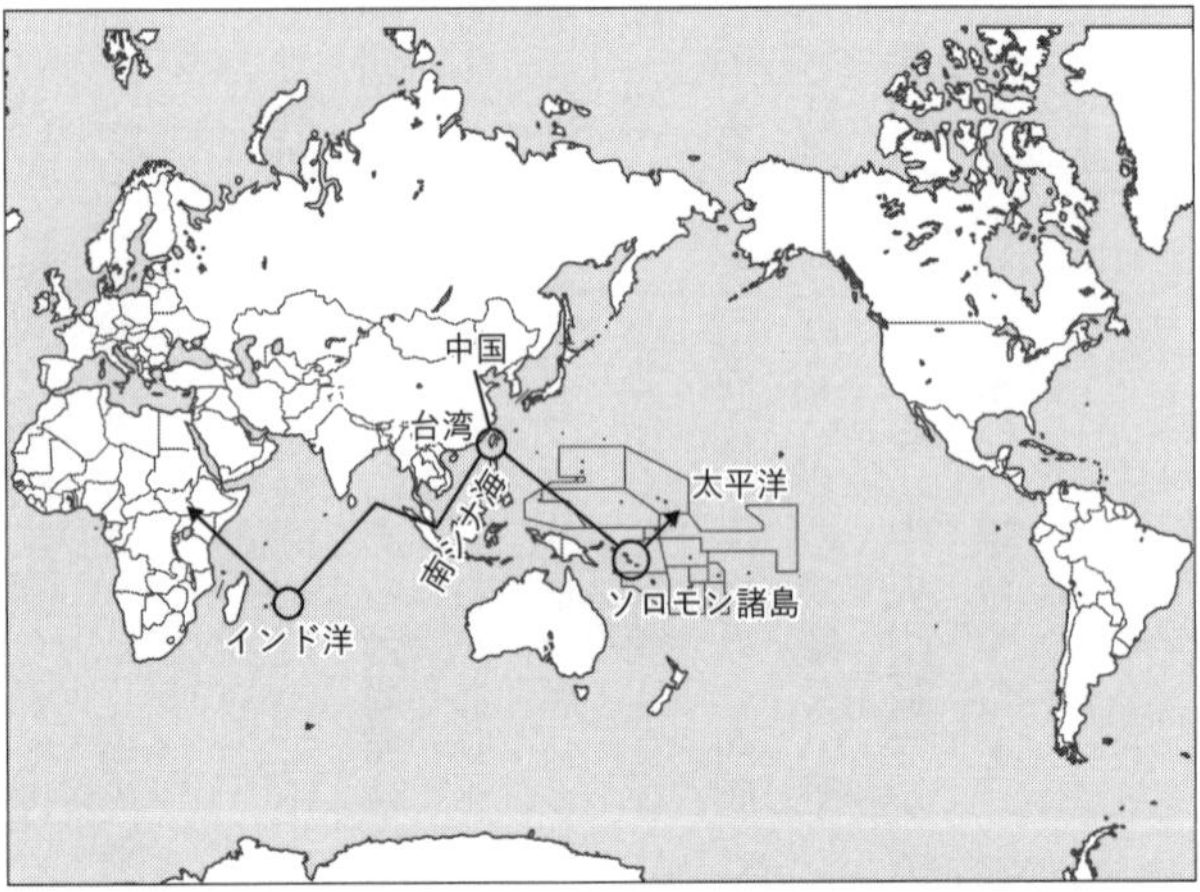

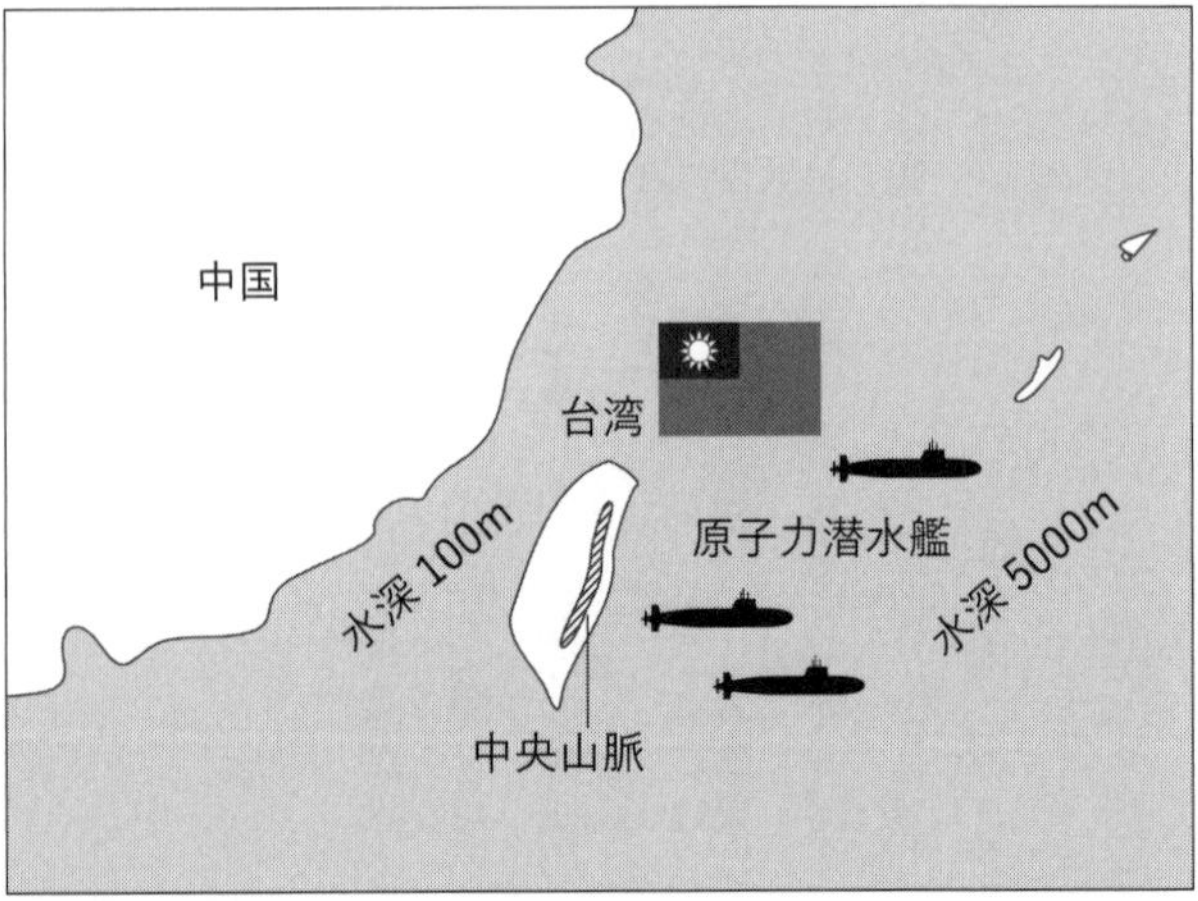

① まず台湾を制し、台湾東側の海域に原子力潜水艦を配備したい。
② 台湾の東部に軍事基地を建設して、陸側は中央山脈に守られ、海側は原子力潜水艦で守られた完璧な要塞を築きたい。
③ ①と②をもって、他国（主にアメリカ合衆国）を牽制しつつ、南シナ海から太平洋、およびインド洋を経て「一路」を成し遂げていきたい。
④ 台湾島東部に拠点を築いたら、次は安全保障協定を結んでいるソロモン諸島に軍事拠点を築き、太平洋進出への足がかりとしたい。

地理学的に考察を深めるには、「陸」だけでなく「海」も見なくてはいけません。台湾というほんの小さな島が要衝という宿命を背負ってしまっているのも、中国の「一路」構想のちょうど道のり上に位置しているからといえます。

もし１９４９年に蒋介石《しょうかいせき》が逃げ込んだのが、中国にとって何の戦略的価値もない海域に浮かぶ島だったら、中国は、ここまで強く「一つの中国」を主張していなかったのかもしれません。

ソロモン諸島を懐柔した中国に危機感を高めている2つの国

さて、こうした中国の思惑を踏まえて、再び世界地図を見てみましょう。

中国の「一路」構想においては台湾、特にその東側の海域が鍵になるということで、気が気でない人たちが出てきます。

先ほど、中国の思惑④として「ソロモン諸島に軍事基地を建設」と述べました。これは単なる臆測ではなく、ソロモン諸島が2019年9月に台湾と国交を断絶して中国との国交を樹立し、さらに2022年4月には安全保障協定を結んでいることによります。ソロモン諸島は「国内に中国の軍事施設を設置することはない」と、一応は表明しているものの、協定は「社会秩序の維持、人民の生命・財産の保護、人道主義援助、防災等の分野で協力する」との内容ですので、いかようにも解釈できそうな文言です。

そこで一気に危機感を強めている国が2つあります。一つは台湾とソロモン諸島の中間に位置するパラオ共和国、もう一つはソロモン諸島から1500キロメートルほどのフィジー共和国です。

もともと、パラオは台湾と国交を結ぶ国ですが、ここ数年、特にパラオが台湾支持を強く表明するとともに、アメリカ合衆国との友好を強めていることをご存じでしょうか。2021年に就任した、パラオのスランゲル・ウィップス・ジュニア大統領の初の外遊先は台湾であり、それも駐パラオ・アメリカ大使を伴っての訪問でした。

なぜか？　今まで述べてきた中国の思惑と、パラオの位置を併せて考えれば明瞭です。

仮に中国が台湾を獲り、ソロモン諸島に軍事拠点を築いた日には、パラオなど、あっという間に中国の傘下に吸収されてしまうに違いありません。

パラオとしては「それは絶対に嫌だ！」ということで「台湾、がんばれ！」とエールを送りつつ、「アメリカさんよ、よろしく頼むぜ」ということで友好を強めているわけです。

パラオ大統領が台湾を訪問した。このニュースを単独で知っても、きっと多くの人は「ふーん」「そもそもパラオってどこ？」といった感想を抱くだけでしょう。日本

【図2−2】パラオ共和国、フィジー共和国

のメディアですら重要性を理解していなかったと見え、あまり大きく報じられなかったと記憶しています。

しかし「台湾の地理的条件」という事実のフィルターをかけて中国の野心を見ると、だいぶ景観の見え方が変わったのではないでしょうか。

2022年4月に中国とソロモン諸島との間で安全保障協定が結ばれると、フィジーでは政権交代をきっかけに「自分たちはアメリカ側に付きます！」と表明しました。アメリカ合衆国としては、ソロモン諸島に軍事拠点を築くかもしれない中国に睨みをきかせるためには、フィジーは好立地です。

フィジーという拠点があれば、ニュージーランドやオーストラリアとも連携しやすい。フィジーもそのあたりの事情は承知しており、味方宣言をすることでアメリカ合衆国から経済的な支援を引き出そうという考えがあるのかもしれません。そしてフィジーは旧イギリス領であり、英語が公用語の国です。

一帯一路構想の後、中国が狙っているのは、おそらく「太平洋での存在感」を既成事実化し、最終的には太平洋をアメリカ合衆国と共同管理することです。そのために、一見、何の戦略的価値がなさそうな島々をじわじわと傘下に収めようとしているのではないかと推察されます。

その視点があると、中国がせっせと南沙諸島を埋め立て、軍事拠点を築いてしまったことも大局的に考えることができるでしょう。

図2－3は、南沙諸島を中心とする等距圏です。ご覧のとおり、1000キロメートル圏だとフィリピン全土、2000キロメートル圏だと台湾全土、沖縄の一部、東南アジアが収まります。

つまり中国にとって南沙諸島とは、第一には「ここからいつだってミサイル撃てるぞ！」という軍事的な威嚇をするための場所、そして第二に、実際に一帯一路構想が実戦に発展したあかつきには、重要な軍事拠点となる場所です。

さて、台湾島東側の海域から太平洋にかけて、各国の思惑や目的のもと、今、何が

【図2−3】南沙諸島を中心とする等距離圏

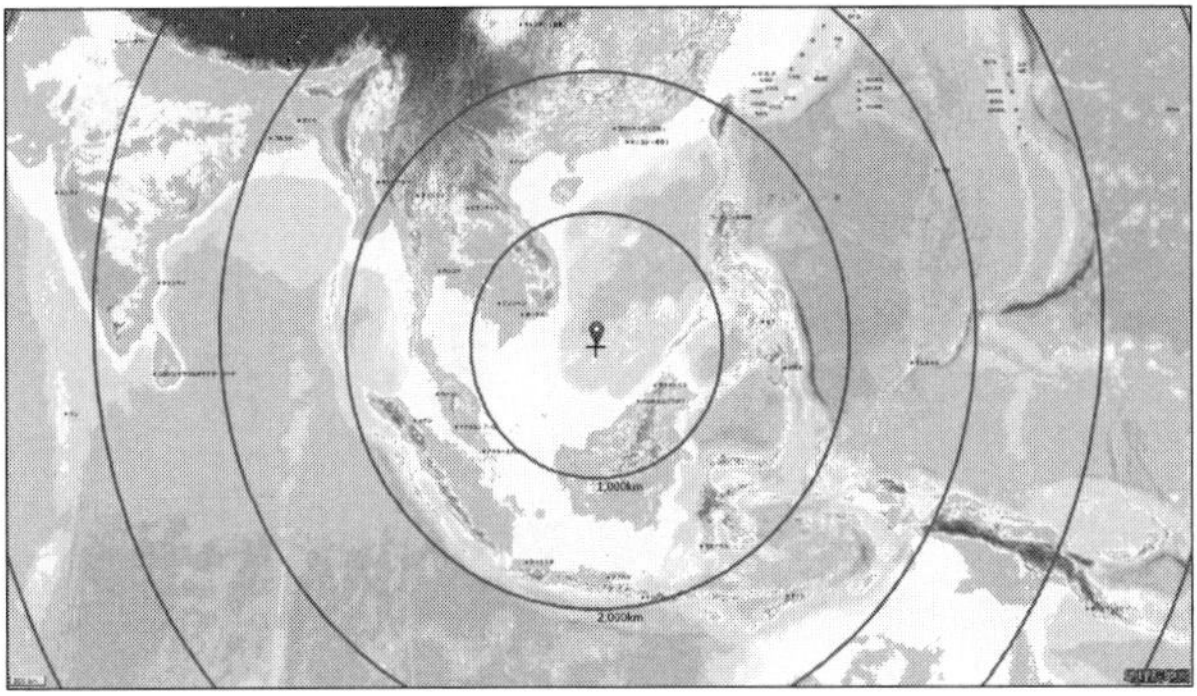

(出典) 電子地形図25000 (国土地理院) を使用し著者が作製

起こっているのか、今後、何が起こる可能性があるのか。

　地理的条件という事実から、読者のみなさんに、その「景観」の一つを示しました。今後は、ぜひその景観を頭に置いて、台湾から太平洋にかけての動向を見ていってください。

ウクライナ――
ロシアが侵略した理由は1つではない

「NATOの東方拡大」に心中穏やかでないロシア

およそ人間社会で起こることで、たった1つの事柄に起因するものなどありません。「Aが起こったからBが起こった」式の考え方はわかりやすいですし、「理解できた」と思うと安心できます。だからこそ、「わかりやすい解説」をする人がテレビなどでもてはやされ、そういう人の言説が電波に乗って広がるごとに、どんどん世の中は単純化されていきます。

しかし本当は、さまざまな要因が複雑に絡み合って、いろんなことが起こっているのが私たちの生きている世界です。

したがって、この世界で起こっていることについて限りなく真実に迫る、理解を得るには多面的に考えてみることが不可欠であり、そこで大きな役割を果たすのが「事実」から「景観」を作り、そして世界を捉える地理学なのです。

2022年2月、ロシアによるウクライナ侵略が始まりました。「NATOの東方拡大にロシアが脅威を抱いたことが原因である」というのが大方の見方ですが、果たして本当にそれだけなのでしょうか？　やはり多面的に考えてみる必要があります。

まず、巷間かまびすしい〔NATO東方拡大〕についてです。

NATO（北大西洋条約機構）は、1949年に設立された軍事同盟です。その理念は、初代事務総長の「アメリカを引き込み、ロシア（設立当時はソ連）を締め出し、ドイツを抑える」という言葉に象徴されるように「反共」でした。

第二次世界大戦が終結し、ドイツが東西に分かれ、ソ連が東側陣営を仕切って大きな顔をしているなかで、ソ連、つまり共産主義の影響力が「西側」にまで及ばないよう予防線を張ったわけです。

1991年12月にソ連が崩壊すると、それまでソ連傘下にあった東側陣営の国々が続々とNATOに加盟し、さらにボスニア・ヘルツェゴビナ、ジョージア、ウクライナが加盟を希望しています。

地図上で確認すると、たしかにロシアにとっては看過できない状況に見えます。かつてソ連傘下だった国々がどんどん西側に取り込まれている（やばい）、そろそろ食い止めないと自分たちの存続が危ぶまれる（まじでやばい……！）、とロシアが切実な事情と捉えているのかもしれません。だからといって、他国を蹂躙していい理由にはもちろんなりません。

ウクライナの西側には何がある？

また、EUとの関連性も見過ごせません。世間の耳目は軍事同盟であるNATOに集まりがちですが、一国が危機に陥るのは軍事的な理由だけではありません。むしろ現代においては、経済的・文化的に「仲間外れ」になることのほうが、存在を脅かす要因となりうるといってもいいくらいです。

**【図2−4】ソ連崩壊後のNATO加盟国・加盟年
および加盟希望国**

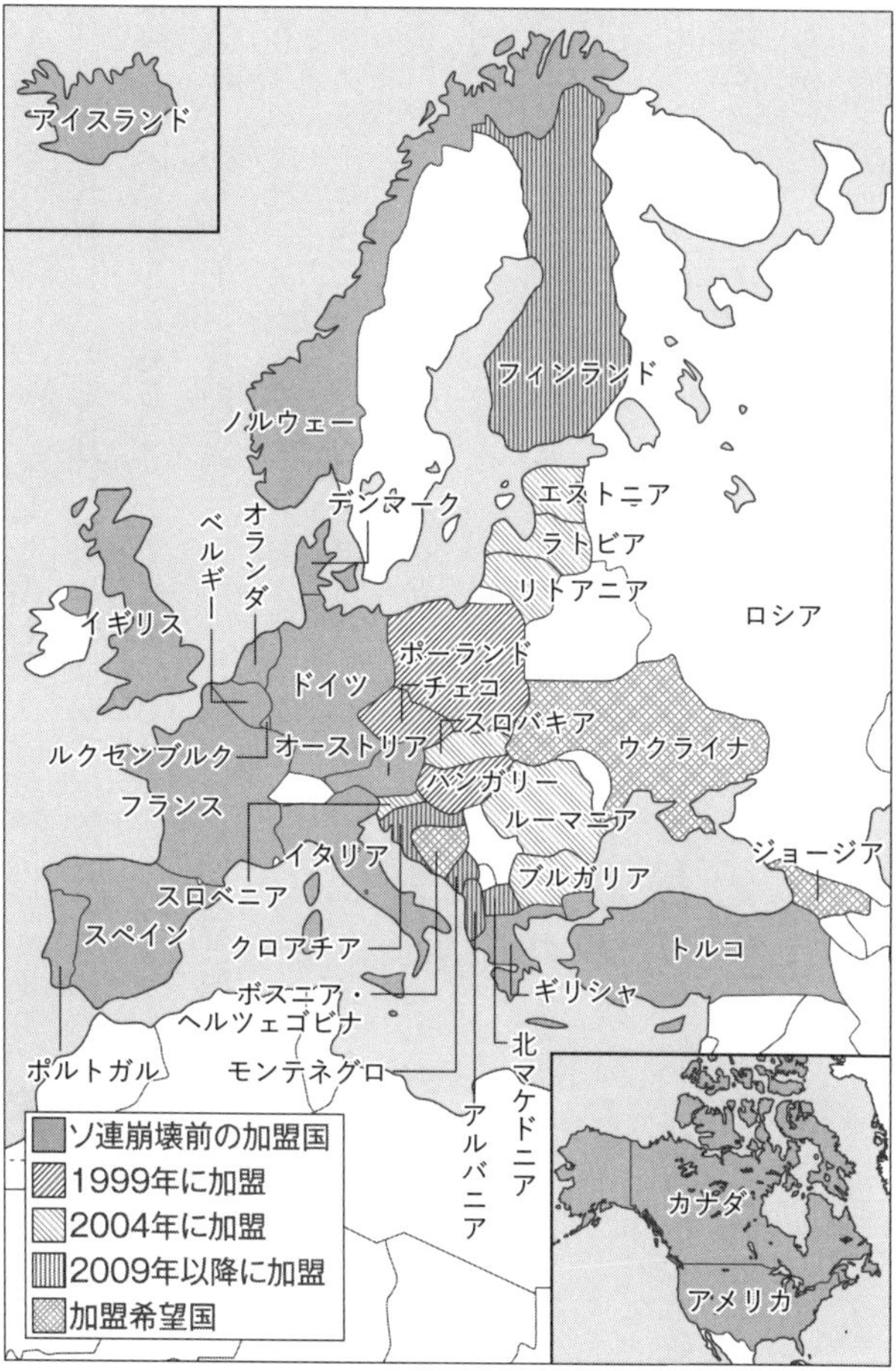

そういう意味で、ヨーロッパ全域を含む巨大な経済同盟であり、資本主義・民主主義という価値を共有しているEUに対してロシアは脅威を感じていた。それもウクライナ侵略の一因であると見ることもできるのではないでしょうか。

現に近年、かつて旧ソ連の影響下にあった国々はEUに急接近しています。

2009年には、アルメニア、アゼルバイジャン、ベラルーシ、ジョージア、モルドバ、ウクライナとEUとの間で「東方パートナーシップ」という協力関係が構築されました。これは、参加した6カ国の政治・経済改革を目的とした枠組みとして創設されたものです。

さらに2014年、ウクライナ、ジョージア、モルドバの3カ国とEUは「深化した包括的自由貿易協定（DCFTA）を含む連合協定」を結んでいます。

つまりウクライナは、NATOのみならず、EUにも加盟したい、軍事的にも政治的・経済的にもロシアの影響下から脱し、西ヨーロッパの仲間入りをしたいという態度を明らかにしてきたというわけです。

以上の話を踏まえて、次の地図を見てください。

【図2−5】EU加盟国とウクライナ

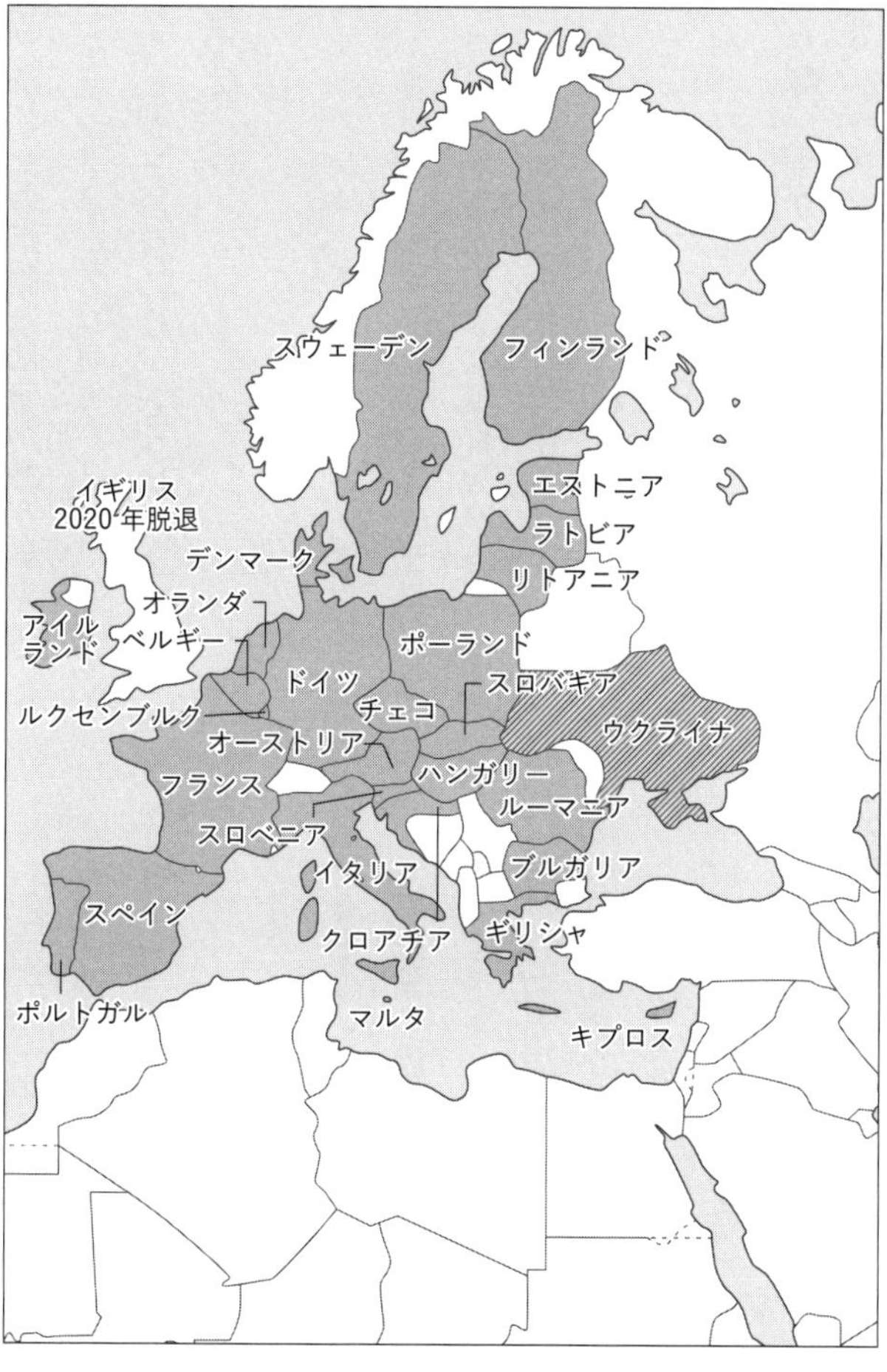

ウクライナの西側には何がありますか？　ポーランド？　スロバキア？　ハンガリー？　どれも間違いではありませんが、おそらくロシアの目には、そうは見えていないでしょう。ウクライナの西側は「EU」なのです。

ベラルーシは「東方パートナーシップ」に入っているとはいえ、まだロシアの影響を強く受けています。となると、やはりロシアにとって喫緊の課題はウクライナです。ウクライナがさまざまな要件をクリアしてEUに加盟しようものなら、ロシアはEUと国境を接することになってしまう。それは絶対に避けたいと思っているのではないでしょうか。ウクライナはロシアとEUの設立の緩衝国のままでいて欲しいといえます。

「凍らない港が欲しい！」――ロシア積年の悲願と汎スラブ主義

歴史を振り返ると、ロシアは絶えず南方に熱い視線を送っていました。

ロシアという国は「国土の60%が永久凍土」という、信じられないような地理的条件のある国です。貿易などのために「凍らない港」を確保したいと、ロシアは切望してきました。わが国にとっても他人事ではありません。日露戦争は、まさしくロシアの南下政策の過程で起こった戦争でした。

日露戦争はアジア方面、いわば東部での南下政策による日本とロシアの衝突でしたが、ロシアの野心は西部の南方にも向けられていました。そこでロシアがどうしても欲しかったものが「黒海から地中海へと抜ける海上ルート」であることは言うまでもありません。

実際、ボスポラス海峡とダーダネルス海峡をめぐっては、ロシアと周辺国の間で骨肉の争いが繰り返されてきました。なかでも19世紀から20世紀初頭にかけて、オスマン帝国と帝政ロシアの対立や協力を背景として起こってきた問題を、ヨーロッパ側から総称して「東方問題」と呼びます。

東方問題は、オスマン帝国の衰退とともにヨーロッパ諸国の利益が絡み合った複雑な問題でしたが、特に重要な位置を占めていたのは、海峡をめぐるロシア・トルコ関係です。ここで登場するもう一つの重要なキーワードが「汎スラブ主義」です。

汎スラブ主義とは、スラブ系民族は共通の宗教・言語・文化をもっているため、協力してオスマン帝国やオーストリア＝ハンガリー帝国からの圧力に対抗すべきだ、という考え方のことです。

この考え方に基づき、帝政ロシアは、同じスラブ系民族の南スラブ諸国（セルビア、ブルガリア、モンテネグロなど）を支援し、彼らのオスマン帝国からの独立を後押しするとともに、自国の勢力範囲を拡大しようとしていました。

一方、ボスポラス海峡とダーダネルス海峡は、繰り返しになりますが、ロシアにとって戦略上、非常に重要な場所でした。両海峡は黒海と地中海を結ぶ唯一の海路であり、ロシアの南への進出や地中海へのアクセスを可能にする要所だったからです。

しかし、両海峡はオスマン帝国の領土内にあり、ロシアはその支配権をめぐってオスマン帝国と対立していました。

このような状況のなか、19世紀から20世紀初頭にかけて、帝政ロシアとオスマン帝国は幾度となく戦争を繰り広げました。その代表的なものがクリミア戦争（１８５３〜１８５６年）と露土戦争（１８７７〜１８７８年）です。

露土戦争ではロシアが南スラブ諸国の独立を支援し、オスマン帝国に勝利。「サン・ステファノ条約」によって大ブルガリアが成立します。これは、いわば帝政ロシアの汎スラブ主義の成果であり、もちろんのこと西欧列強の猛反発は必然でした。

結局、その後のベルリン会議でサン・ステファノ条約は見直され、ブルガリアの領土は縮小されました。ロシアの影響力の拡大を危惧した西欧諸国が、「調子に乗るなよ」とロシアに釘を刺したわけです。露土戦争に勝ったにもかかわらず、狙っていた２つの海峡の支配権をロシアが確保できなかったのも、西ヨーロッパの反発と介入が理由といえます。

そして１９２３年、ローザンヌ条約が締結されます。

ここではオスマン帝国解体後の国境の再編成や、オスマン帝国の後継といえるトルコ共和国の承認など、多岐にわたる点で合意形成がなされました。当然、ボスポラス海峡とダーダネルス海峡も大きな議題であり、両海峡を中立化して商船の通行を認める一方、戦時中には軍艦の通行を制限することが定められました。

1936年に締結されたモントルー条約において、両海峡の主権をトルコがもつと決められたのは、このローザンヌ条約を経たうえでのことでした。こうして「黒海から地中海へと出る海路を支配したい」というロシアの野望は打ち砕かれたというわけです。

パナマ運河——運河は「海上の要衝」である

その昔、パナマ運河建設に関わった日本人がいた

黒海から地中海へと出るには、トルコが主権をもつボスポラス海峡とダーダネルス海峡を通らなくてはなりません。この例が如実に物語っているとおり、世界中にいく

つもある「海峡」はどれも要衝といえます。

地球は水をたたえた惑星であり、大陸間を移動するには海を渡らなくてはいけません。それは単にだだっ広い海を行くだけでなく、時には狭い海の通路、つまり海峡を渡ることも意味します。

船舶が通れるように海峡を人工的に整備したものが「運河」です。有事においては前線で戦っている軍隊への後援物資の運搬、平時においては輸出入品の運搬と、運河は常に、「そこを通らねばやっていけない国々」の命運を握ってきました。

世界には大小数多くの運河がありますが、ここでは、トルコの2海峡と並んで特に要衝としての存在感が強い「パナマ運河」と「スエズ運河」を取り上げます。

パナマ運河の建設に、日本人技術者が関わっていたことは、あまり知られていないかもしれません。

その人、青山士《あおやまあきら》は大学卒業後の１９０３年に渡米。１９０４年からパナマ運河の建設という大事業に関わりました。

重要箇所の設計を担当するなど大きな役割を果たしますが、1911年、その完成を見ることなく日本に舞い戻ります。ときは日露戦争直後、アメリカ合衆国では日本人に対する警戒心が高まっており、新聞でスパイ疑惑までかけられた末の帰国でした。帰国後は内務省に入省し、荒川放水路建設や信濃川大河津分水路の建設を指揮します。荒川放水路のおかげで、過去100年間、荒川の氾濫は発生していません。

日本敗戦の一因は「パナマ運河破壊計画、失敗」にあり?

そして時代は移り変わり、第二次世界大戦当時、わが国にとって最大の課題だったのは「アメリカをどう抑え込むか?」でした。

そこで浮かび上がったのが「パナマ運河を壊してしまえ」という案でした。パナマ運河が通行不可能になれば、アメリカ海軍が太平洋に出てくるにはぐるりと南アメリカ大陸を回らなくてはいけなくなる。これがわが国にとっては大きな時間稼ぎになり、アメリカ合衆国の「体力」を削ることができるというわけです。一種の「アメリカ封じ込め作戦」でした。

では、どうすればパナマ運河を壊すことができるか——ということで軍部は青山を訪ねます。パナマ運河の建設に関わった青山ならば、その構造も弱点も把握しているに違いない、そう軍部は踏んだのでしょう。

ところが青山の返答は予想外のものでした。「たしかに私はパナマ運河の建設に関わった。しかし私は技術者であり、『作り方』は知っていても『壊し方』は知らない」といった主旨のことをいって、軍部を追い返したとされています。

一方では青山が軍部に協力したという説もあるようです。青山を訪ねた軍部は、拝借した設計図を元に計画を進めますが、攻撃体制が整ったさいに、すでに攻撃目標がウルシー環礁へと切り替わっており、出撃するも間もなく終戦を迎えました。

こうして軍部の目論見はあえなく崩れ去り、アメリカ海軍を太平洋に出てこられないように封じ込める策は頓挫してしまいました。その後、わが国がどんな運命をたどったかは言うまでもありません。もちろんパナマ運河を破壊できなかったことだけが敗因ではありませんが、大きな要因の一つであったのかもしれません。

そんな歴史的背景をもつパナマ運河ですが、現代においては、太平洋と大西洋を行き来する貿易船の要衝になっています。

アジアからパナマ運河へと向かう貿易船は、太平洋を横断しなくてはいけませんが、どこにも寄港せずに渡るのは大変です。そこで太平洋の地図を見てみると、ちょうどいいところに、マーシャル諸島という国があります。

マーシャル諸島は環礁しかないような小さな国ですが、地の利を活かして船籍ビジネスに経済的活路を見出しました。現に便宜置籍船のランキングは、パナマ、リベリアについで3位です。要衝の地理学に注目してみると、太平洋に浮かぶ小国の意外な産業が見えてきたりもするのですから、おもしろいものです。

ラオス、ミャンマー、パキスタン——着々と進む中国の野望

「もし台湾を獲れなくても……」中国が思い描いている3つのオプション

中国の一帯一路構想とは、陸路で西アジア、中東地域を経てヨーロッパへ、海路で南シナ海、インド洋を経て東アフリカへと進出する構想です。

そのため中国は、南シナ海からインド洋へ出るルート上にある台湾を重要視している節があります。ましてやマラッカ海峡は非常に浅い海域であるため、船舶の通航には細心の注意を払う必要があります。しかし、そこは海千山千の中国のことです。「東南アジアからインド洋へ出るルート」以外も想定していると考えるのが妥当でしょう。

ちなみに岸田政権がフィリピンの軍備のために政府安全保障能力強化支援（ＯＳＡ）を導入して無償支援を申し出たのは、「台湾→南シナ海」ルートを窺う中国を、日米

で結束して牽制するためと見て間違いないでしょう。何かと批判の絶えない岸田政権ですが、フィリピンとの付き合い方を見る限り、やはり外交だけは得意なのかもしれません。

話を戻しましょう。

台湾から南シナ海を経て、東南アジアからインド洋へと出るルートをとれないとしたら、どうするか？　中国は大きく3つのオプションを想定していると思われます。

南シナ海がダメでも、とにかくインド洋へ出てしまえば東アフリカへたどり着ける。そのために、インド洋に面する国への支配力を高めたい。けれども、長年、国境紛争を抱えているインドを懐柔するのは困難を極める……。そんな目で世界地図を見てみると、マラッカ海峡に通じる「マレーシア」や「シンガポール」、ベンガル湾に通じる「ミャンマー」、アラビア海に通じる「パキスタン」の存在がそれぞれ浮かび上がってきます。

中国の一帯一路という視点をもってみると、これらの国々も現代史の「要衝」といえます。すると、これらの国々に対して中国がどんなアプローチをしているのかということも、点ではなく線、さらには面で捉えることができるでしょう。

中国は、すでに雲南省・昆明市からラオスの首都・ビエンチャンまでを結ぶ、「中国・ラオス鉄道」を建設しています。２０２１年12月のことです。そして最終的にはこの鉄道をタイ、マレーシア、そしてシンガポールへとつなげたい意向を持っていて、一帯一路構想の一環として捉えています。この鉄道がシンガポールまで延びてしまったら、中国はマラッカ海峡へと容易に出ることができるようになります。

というわけで、台湾を獲れなかった場合の中国のオプション①は、「東南アジア→マラッカ海峡→インド洋」ルートです。

続いてオプション②は「ミャンマー→ベンガル湾→インド洋」ルートです。

これは私の邪推なのですが、２０２1年2月に起こったミャンマーの軍事クーデターは、軍部の背後に中国の存在があるのではないかと考えています。

台湾→南シナ海ルートをとれない場合に、ミャンマーからインド洋へと出るには、ミャンマーが民主国家であっては都合が悪い。そこで軍部をけしかけてクーデターを起こさせ、軍事政権に戻してしまえば扱いやすくなる。中国がそう目論んだとしても何も不思議はない気がしています。

中国の一帯一路構想、「北部は中国と接しており、南部はインド洋へと続くベンガル湾に接している」というミャンマーの地理的条件、この2つを考えるからこそ、「ミャンマーの軍事クーデターの背後に中国あり」と邪推するわけです。そしてミャンマーからベンガル湾に出た先にはスリランカがありますが、近年、中国はスリランカへの投融資に力を入れてきました。まず多額の投融資をして、その返済をタテに相手国を自国に都合のいいように動かすという、「債務の罠」にかけようというわけです。

実際、中国の資金でスリランカ南部に建設されたハンバントタ港は、巨額の債務返済に窮したスリランカが、その運営権を中国に99年間リースしてしまったために、事実上、「中国の港」と化しています。

スリランカの目と鼻の先にあるのはインドですから、当然、インドは中国を警戒します。インドと中国は、すでに中印国境紛争が起こるなどバチバチの緊張関係にあります。東南アジアやミャンマー経由で南アジアに触手を伸ばそうとしている中国と、それを阻止したいインドが絶対に仲良くなれないのは当然のことといえます。

ではオプション③となるパキスタンについては、どうでしょうか。

中国とパキスタンは１９５０年に国交を樹立しました。以来、中国はパキスタンの最大の経済支援国であり、武器供与国です。

「中パ経済回廊」などのプロジェクトを通じ、中国はパキスタンに多額の資金を投じてきました。もちろん善意でなく、すべて計算ずくのことでしょう。というのも、中国からの投資・融資によってパキスタンのインフラが近代化され、短期的な経済成長が促進される一方で、長期的な債務返済の負担が増加しているのです。

この「債務の罠」により、パキスタンは、がんじがらめになっています。

経済的に依存すると依存先に従属的な立場になり、依存先の利益に沿った行動しかとれなくなるというのは人間関係でも国際関係でも同じことです。中国に多大なる経済的な借りのあるパキスタンもまた、中国に利するような政策を採らざるを得ない状況に陥っているわけです。

「債務の罠」といえば、「一路」の最終到達点であるアフリカにも、すでに中国は触手を伸ばしています。

アフリカ諸国に対する中国の投融資は今に始まったことではありませんが、なかでも記憶に新しいのは、2023年1月、中国の秦剛外交部長（外務大臣に当たる高官）がエチオピア、ガボン、アンゴラ、ベナン、エジプトを訪問したことです。

なかでも最後に訪問したエジプトでは、シシ大統領との共同会見にて「中国が掲げる一帯一路の建設がエジプトで多くの成果をもたらすことを期待している！」と述べ、スエズ運河経済圏や新首都建設への投資を続けるとしました。

ちなみに、「スエズ運河経済圏」や「新首都建設」については、2019年度一橋大学の地理の入試問題にて取り上げられています。

問

エジプトで計画中の新首都は他国の過去の例と異なり、内陸の国土の中心部ではな

【図2−6】エジプトの新首都建設予定地

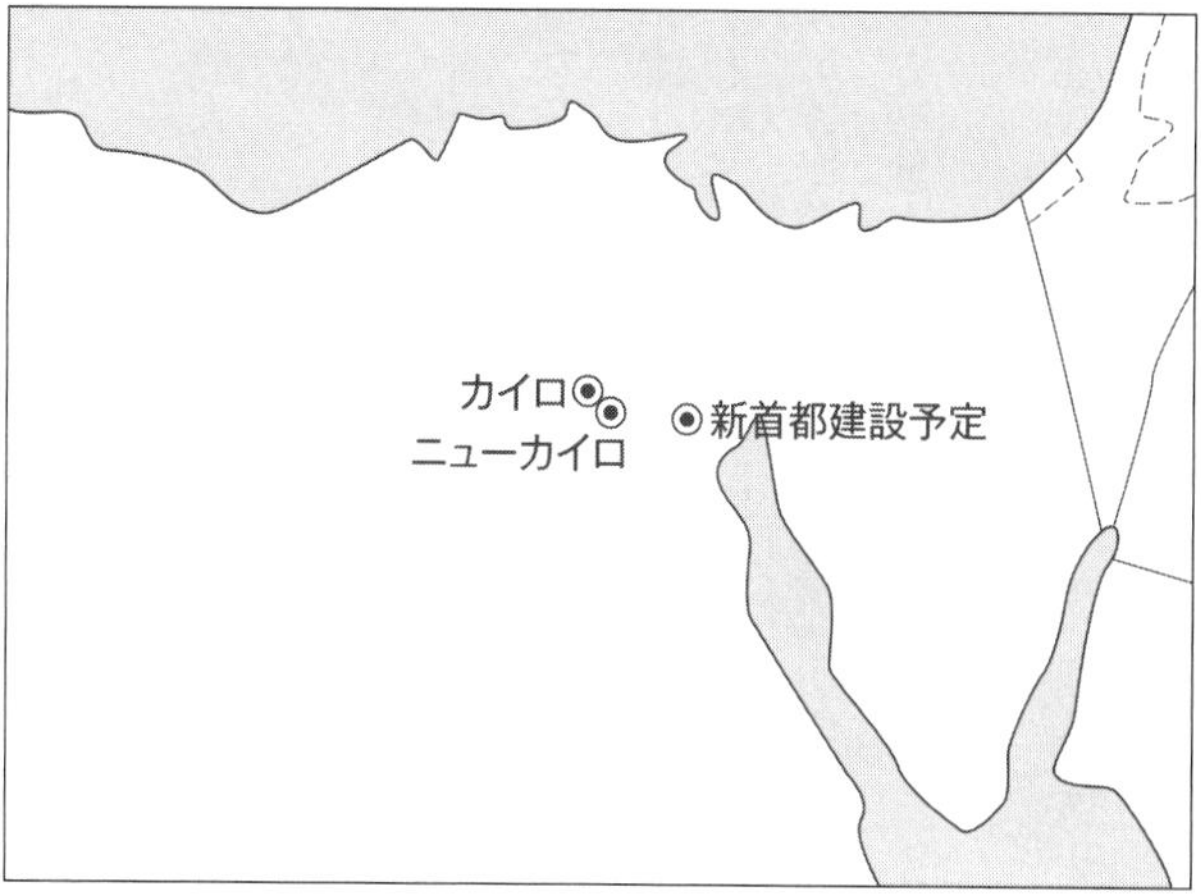

く、下線部（３）に示したような場所に建設中である。このような立地を選んだ理由は何であると考えられるか。新首都建設資金調達の方法と、計画されている新首都の都市機能を推測して、説明しなさい。（２０１９年度一橋大学前期試験地理第１問・問３より）

　問題文中にある「下線部（３）に示したような場所」とは、「現首都カイロの東側に広がる新郊外地区『ニュー・カイロ・

シティ』を超えて、さらに東へ行き、スエズ運河に至る途上にある」とあります。

一橋大学は模範解答を公表していませんが、解答のポイントは以下のとおりです。

①スエズ運河の通行料を主要資金源とする
②中国などからの投資を拡大させる→エジプトとサウジアラビアとの関係悪化から、アラブ石油輸出国機構（OAPEC）加盟国からの投資は難しい？
③首都が現在よりもスエズ運河に近づくのは投資へのメリットが大きい
④オールド・カイロへの人口集中が著しく、都市機能が停滞
⑤スエズ運河を利用した物流業だけでなく、金融の拠点としても発展を目指し、観光業への過度な依存度を下げたい

本項の文脈からすると、やはり見逃せないのは太字で示した②でしょう。

エジプトとしても、中国の一帯一路構想、そのための「債務の罠」手法は重々承知

【図2−7】東南アジア諸国の中国系人口比率

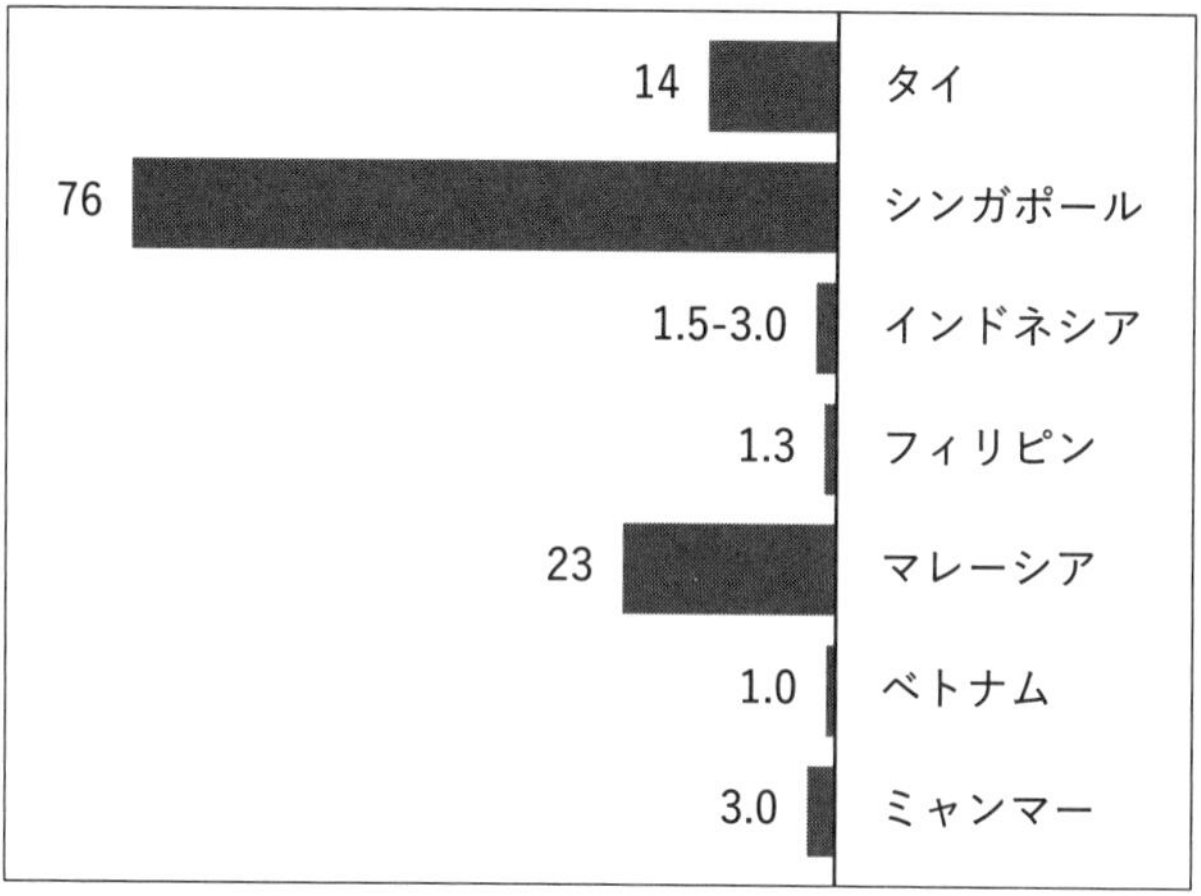

（出典）The Economist May 30th 2020

の上でのことなのか、ともかく中国から資金を引き出して新たな経済成長を目指す気まんまんというわけです。

「中国の身勝手が許されるわけない」というのは楽観的すぎる

こうした中国の出方を見て、「そんな無理が通るはずがない」と思ったかもしれません。

しかし、そこを国際的な評判など気にせず推し進めてしまうのが中国の怖さです。

しかもシンガポールをはじめ、実は東南アジアには中国系の住民が多いのです（図2－7参照）。となると、東南アジア経由で「一路」を成し遂げていくという中国の野望が、がぜん現実味を帯びてきます。それを避けたいのなら、日本はもっと、したたかに立ち回れるような外交政策を展開しなければなりません。

スロベニア――EU東方拡大の急先鋒がロシアを焦らせる

EUを縦断する「青いバナナ」とは?

EUは、欧州共同体（EC）から発展して1993年に創設されました。ECの時代から何回かの拡大期を経て、2023年8月現在のEU加盟国は27カ国です。

こうして拡大すればするほど経済的な一枚岩としてのＥＵの存在感が強くなり、ヨーロッパ諸国にとっては好ましいことのように思えるかもしれません。しかし、事はそう単純ではないようです。

まずＥＵの全27加盟国を古い順に列挙してみましょう。

・１９５７年（ＥＣ原加盟国）――西ドイツ（当時）、フランス、イタリア、ベルギー、オランダ、ルクセンブルク
・１９７３年（第１次拡大）――イギリス（後に離脱）、アイルランド、デンマーク
・１９８１年（第２次拡大）――ギリシャ
・１９８６年（第３次拡大）――ポルトガル、スペイン
・１９９５年（第４次拡大）――オーストリア、スウェーデン、フィンランド
・２００４年と２００７年（第５次拡大）――ポーランド、チェコ、スロバキア、ハンガリー、エストニア、ラトビア、リトアニア、スロベニア、マルタ、キプロス（２００４年）、ルーマニア、ブルガリア（２００７年）

【図2−8】ブルーバナナ

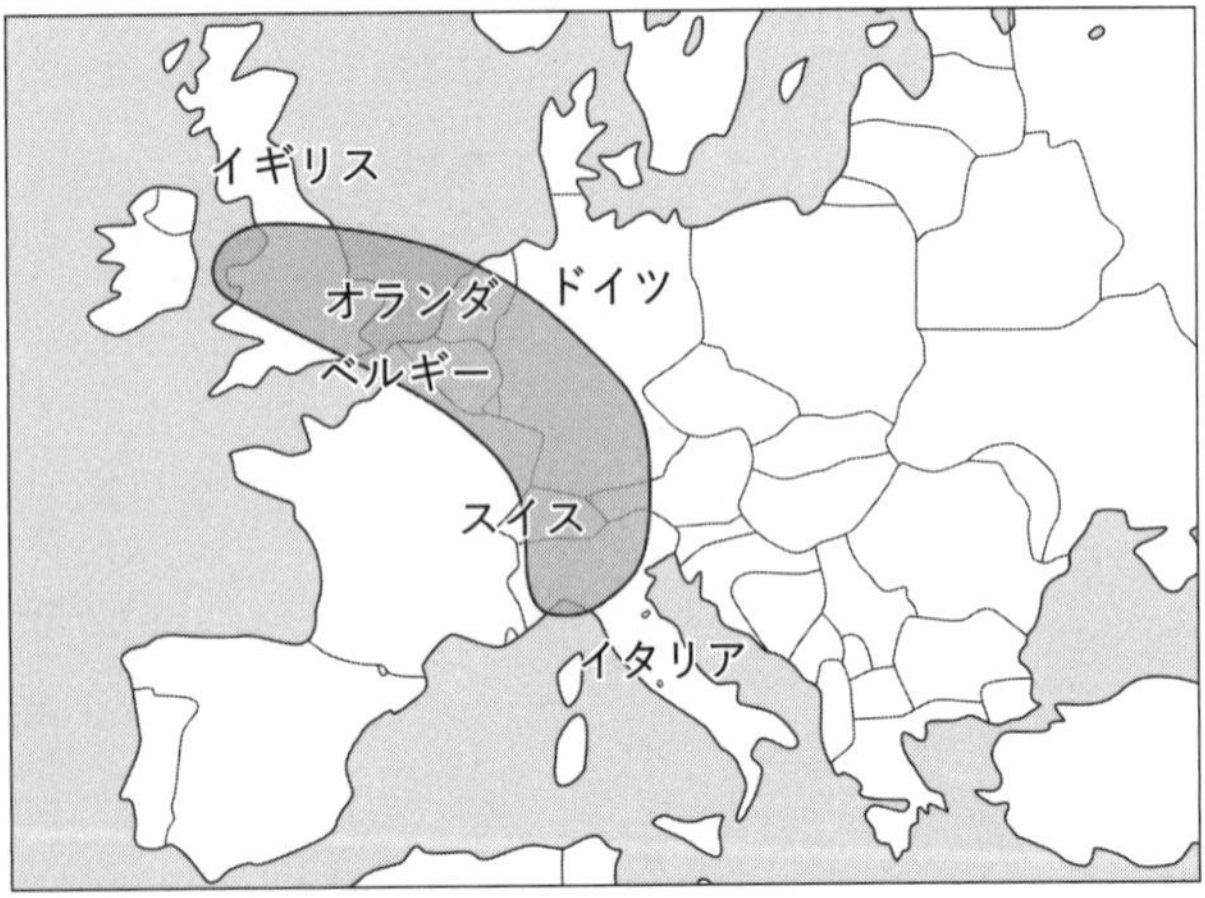

・2013年（第6次拡大）
——クロアチア

こうして並べてみると、気づくことはないでしょうか？　それは、加盟国間の経済力にけっこうな差があるということです。

特にイギリス中南部からオランダ、ベルギー、ドイツ西〜南部、スイス、イタリア北部にかけては、EUの地理的および経済的な中心地として「ブルーバナナ」と呼ばれています（20

２０年にイギリスがＥＵ離脱したことで、少しバナナは短くなっています）。

①ドックランズ――イギリス・ロンドン東部、テムズ川沿岸に位置するウォーターフロント再開発地区。

テムズ川は、イングランド南部を東西に横断して北海へと流れ込み、上流から運ばれてくる土砂が少ないため、河口に大きな入り江、エスチュアリー（三角江）が形成されています。特に河口からロンドン周辺までは川幅が広く水深も申し分ないうえ、地形は標高20メートル未満と平坦なので大型船が航行しやすい環境にあります。

この地の利を生かすべくロンドン周辺では道路網や鉄道網が整備され、テムズ川と内陸地域の行き来がしやすくなっています。こうしてロンドンでは海運業が発展し、港湾都市が形成されました。日本の河川の多くは河床勾配が大きいため、船舶が上流まで行けるような河川はほとんどありません。

②ライン川流域・ルール地方――ドイツ・ノルトライン＝ヴェストファーレン地方西部に位置するヨーロッパ屈指の工業地帯です。ただし現在は鉄鋼業や石炭産業が衰退

する一方、新たな産業として期待できるハイテク工業はすでにドイツ南部に集中しているため、失業率上昇や高齢化が問題になっています。

③サードイタリー――サードイタリーを「ブルーバナナ」に含めるかは諸説あると思いますが、イタリア北部に位置する伝統産業地帯で、地場産業が発達しています。

「ブルーバナナ」という呼称は、これらの地域を帯状に結んでEUの旗の色である青色で塗りつぶすと、「青いバナナ形」が現れることに由来します。ほかにも、ヨーロッパの「メガロポリス」「バックボーン」とも呼ばれます。

旧ユーゴスラビアで最初にEU加盟を果たしたスロベニア

EUの拡大は、域内の経済格差の顕在化を意味します。拡大すればするほどブルーバナナに含まれる加盟国と、その他の加盟国との経済格差が広がって、EUを1つの経済共同体として運営することが難しくなるわけです。

実際、図2-9、10のようにEU各国のGDP/人とGNI/人を比較すれば、どれだけの経済格差がすでに域内で生じているかは一目瞭然です。ざっくり見ると、西側と東側の差が激しいことが見て取れるでしょう。

となると、低賃金労働力を活用する産業は西欧から東欧に移り、さらに東欧から西欧へは高賃金を求めて移民が流入することになります。

しかもEUには「移民は手厚く保護しなくてはいけない」というルールがあります。いってしまえば、経済力の高い加盟国が、経済力の低い加盟国を支えなくてはいけないわけです。そこに税金を費やすのはバカバカしいという声が多数派となって、EU離脱を選んだのがイギリスでした。

このように域内の経済格差が大きくなりすぎると、産業構造のバランスが崩れてしまうため、EUに加盟するには、ある程度の経済力が求められるのです。

前提の話が長くなってしまいました。ここからが本題です。

現在、旧ユーゴスラビア（スロベニア、クロアチア、ボスニア・ヘルツェゴビナ、

【図2−9】EU加盟国一人当たりの国民総所得（GNI）

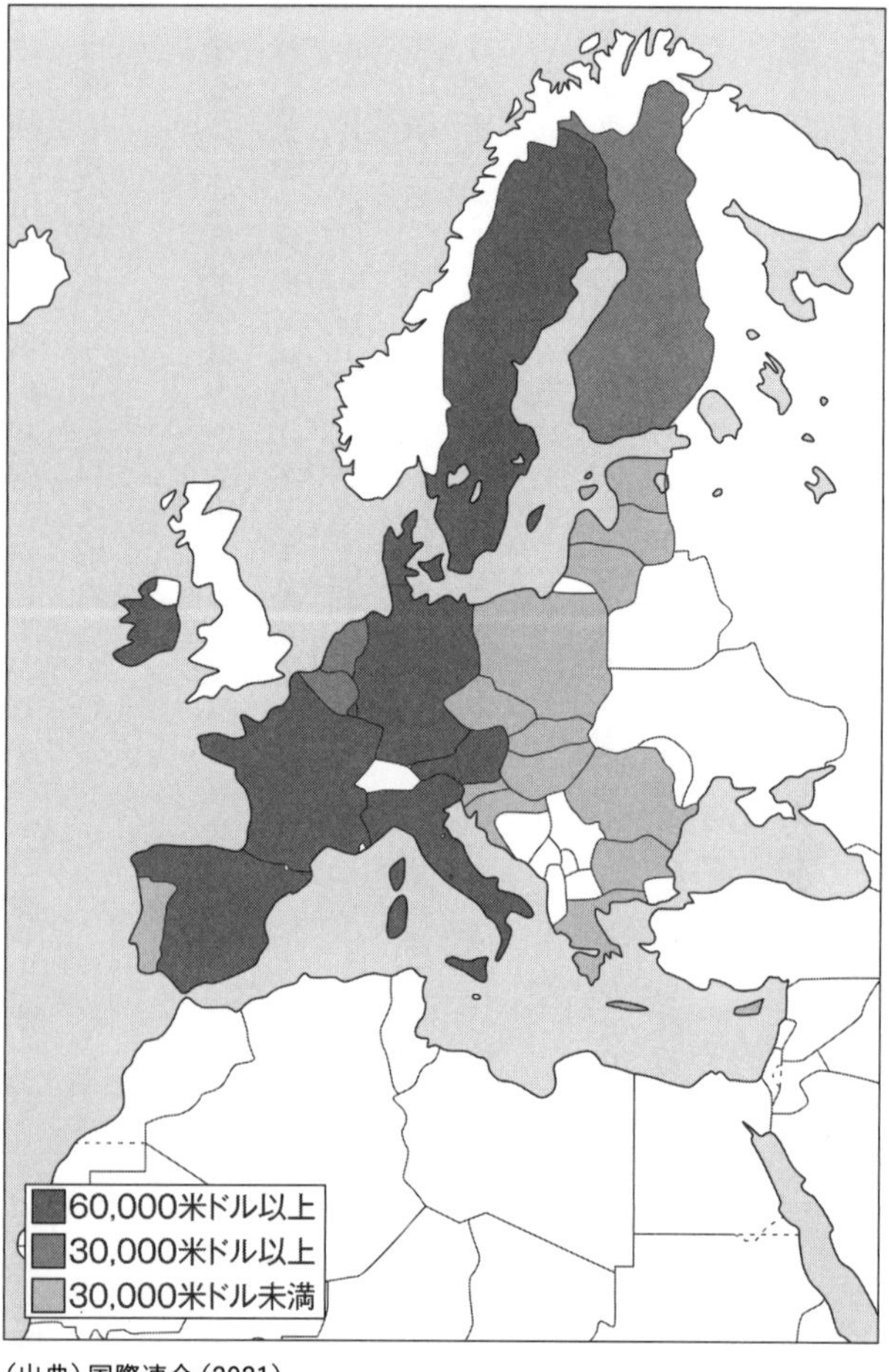

（出典）国際連合（2021）

【図2−10】EU加盟国一人当たりのGDP

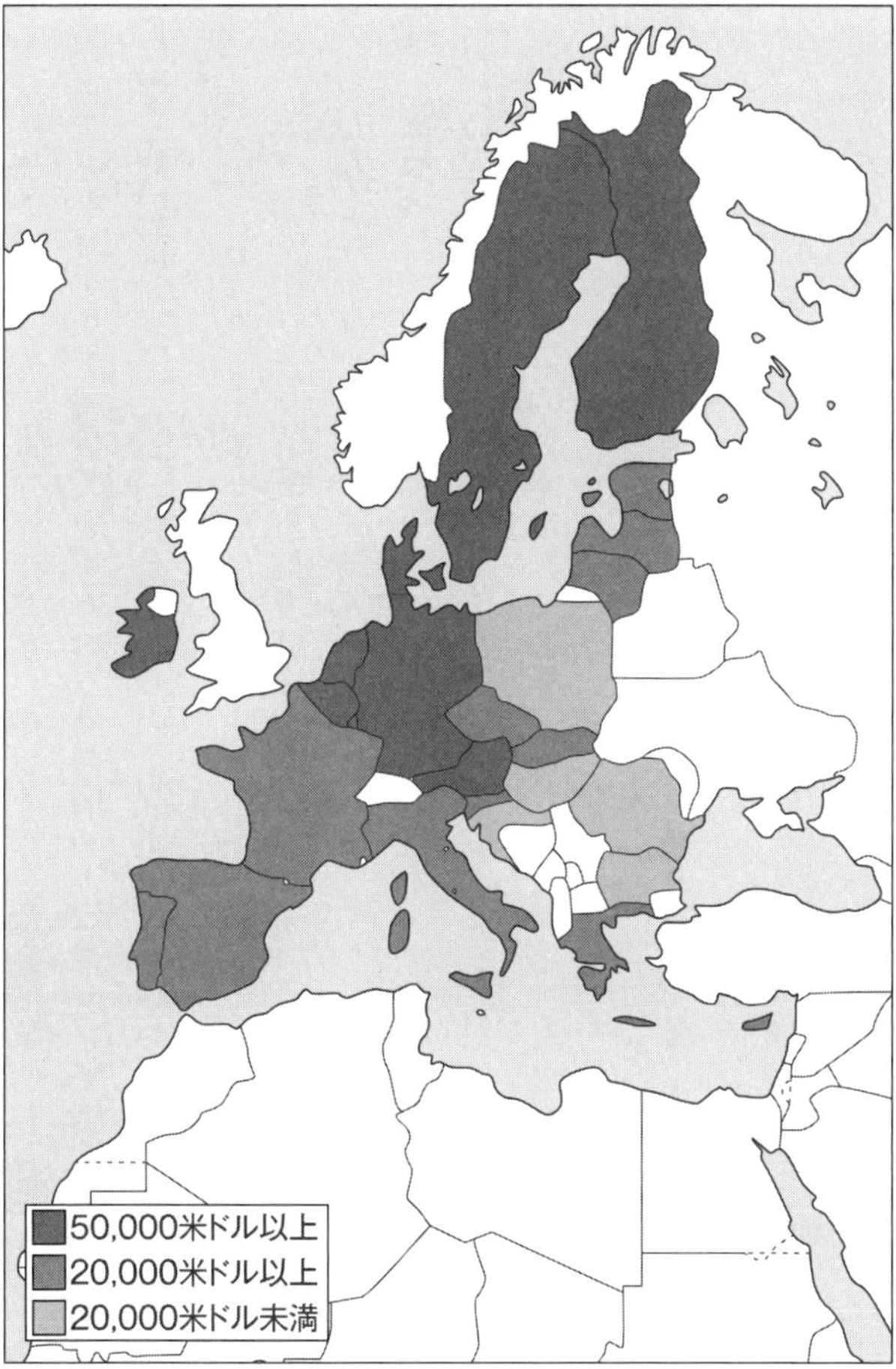

（出典）国際連合（2021）

セルビア、モンテネグロ、北マケドニア、コソボ）のなかでEUに加盟しているのは、スロベニアとクロアチアだけです。それ以外の旧ユーゴスラビア諸国は加盟候補国、または潜在的加盟候補国として名を連ねている国があるものの、いつ加盟に至るかは未知数です。

スロベニアはクロアチアに先駆けること9年、2004年にいち早く加盟しましたが、これは決して偶然ではありません。

まず、スロベニアは民族の均一性が高く政情が安定し、かつ人口が200万程度と少ないため、比較的スピーディに経済成長できました。そのため、旧ユーゴスラビア時代から同国内での経済的先進地域であり、これがセルビアとの対立要因の一つともなっていきました。

またスロベニアは、その地理的位置から、先に触れた「ブルーバナナ」の一部であるイタリア北部やオーストリアとの交易が盛んでした。

さらに「カルスト地形（石灰岩の台地）」の由来となっているクラス地方（ドイツ語で「カルスト」）は、スロベニアを代表する景勝地であり、観光業が栄えています。

こうした好条件が重なっているスロベニアは、旧ユーゴスラビアのなかでは突出した経済水準を誇っています。だからこそ、ある程度の高い経済力が加盟条件となっているEUに、旧ユーゴスラビアのなかで一番に仲間入りすることが叶ったといえます。

その後、2013年にはクロアチアがEU加盟を果たし、その他の旧ユーゴスラビア諸国はEU加盟候補国、潜在的加盟候補国になっているというのは先ほど述べたとおり。こうしてEUが着々と東方へと拡大するにつれて、危機感を強めざるをえないのがロシアであるというのは、もはや言うまでもないでしょう。

オーストリア――スイスに並ぶ永世中立国は、なぜ「要衝」なのか？

オーストリアの立場一つで、東西のオセロが簡単にひっくり返る

永世中立国というと真っ先に思い浮かぶのはスイスではないでしょうか。実は、スイスのお隣のオーストリアも永世中立国なのですが、この事実は意外と知られていないのかもしれません。

では、なぜオーストリアは永世中立国の道を選んだのか。地図を見ながらその点を追いかけてみると、ヨーロッパの要衝の一つとしてのオーストリアが浮かび上がってきます。

まず、お隣のスイスが永世中立国になった経緯から見ていきましょう。

【図2−11】1955年5月15日時点でのNATOとWTO加盟国

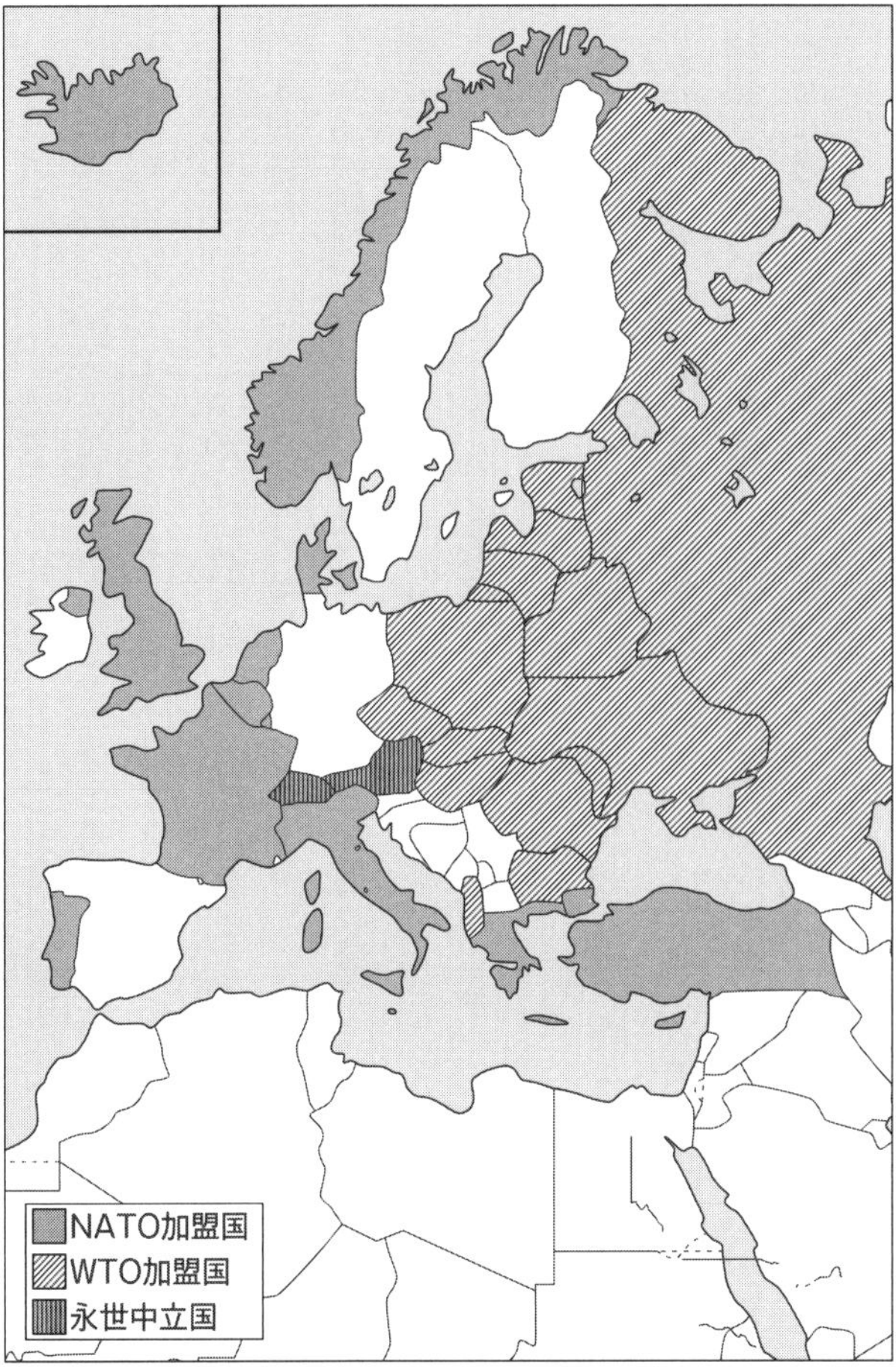

スイスの中立性は19世紀の初めに遡ります。1815年、ナポレオン戦争後のヨーロッパの再編成を目的として開催されたウィーン会議後に、国際的な承認を受けた中立国となりました。

ここで認められたスイスの中立性とは、つまり「スイスは他国の紛争などに介入しない」と同時に、「他国もスイスの独立性を尊重する」ということです。これらの点でヨーロッパ諸国が合意したのは、スイスが「軍事的に強固で独立した国」であることが周辺国の安定に寄与するという考えがあったからにほかなりません。

事実、スイスの中立性は、国際紛争の解決や外交交渉において重要な役割を果たしてきました。

また、スイスは国際赤十字や国際連盟（当時）など、国際的な組織の本部が置かれる場所としても知られています。世界的な国際フォーラム「ダボス会議」が毎年スイスで開催されるのも、この国が、国家的な利害関係を超えて世界中から人が集まるのにもっとも適した場所だからでしょう。

さて、一方のオーストリアですが、永世中立国となったのは、１８１５年からぐんと時代を下った第二次世界大戦後のことです。

１９５５年4月、オーストリアはソ連との間で覚書を交わし、その後、アメリカ合衆国、ソ連、イギリス、フランスの4カ国と「オーストリア国家条約」を締結しました。大戦中はドイツに併合されており、終戦後は連合国による占領下にあったオーストリアは、この条約により独立を回復します。

このオーストリア国家条約のなかで、オーストリアは永世中立国としての立場を宣言したのです。言い換えれば、「私たちは東西冷戦のどちらの陣営にも加わらず、独立と中立性を維持します！」という宣言でしたが、スイスのように国際条約で承認されているわけではありません。

地図を見るとわかりますが、オーストリアは、スイスよりも微妙な位置にあります。

特に冷戦下では、ともすれば東側に取り込まれかねない。オーストリアが永世中立国となることを選んだのは、下手に西側につく態度を見せれば、一気呵成にソ連が取り込みにかかってくると考えたから、と見ることもできるでしょう。

オーストリアが西側陣営に入ったら、ドイツとイタリアはオーストリアを経由して軍隊を動かすことができます。つまりどう考えても、ソ連にとってオーストリアは、西側に取り込まれないように楔を打っておきたい国だったといえます。実際にソ連は、オーストリアがＮＡＴＯへ加盟しないことを望む立場を示していました。

逆に西側としては、もちろん、オーストリアが東側に取り込まれるのは絶対に避けたいところでした。

図2－12のように、ドナウ川がライン川支流のマイン川と運河で結ばれているため、黒海と北海は、実は1本の導線で結ばれています。

オーストリアが東側に取り込まれようものなら、ソ連は黒海からドナウ川を伝って傘下のルーマニア、セルビア、ハンガリー、そしてオーストリアを経由してドイツへ、さらにマイン川からライン川伝いに北海方面へと進入しやすくなってしまう。北海に出たら、すぐ目の前はイギリスです。

とはいえ西側が積極的にオーストリアを取り込もうとすれば、もちろん、ソ連が黙

【図2－12】黒海と北海をつなぐドナウ川、マイン川、ライン川

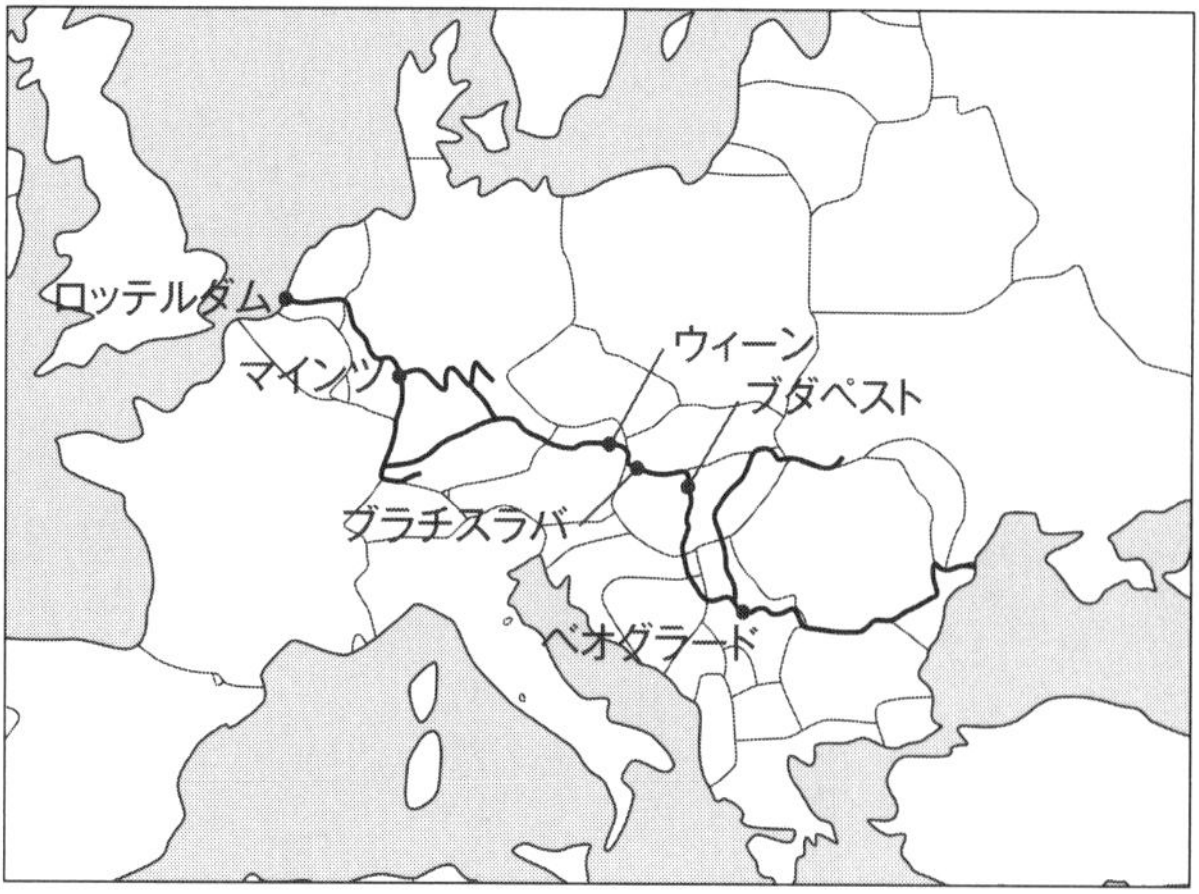

ってはいないでしょう。「冷たい戦争」が「熱い戦争」に変わる可能性すらあります。２度目の世界大戦を終えたばかりのタイミングに、それは双方にとって悪夢の始まりです。

というわけで、東側と西側で「お互いオーストリアには積極介入しない」という紳士協定的な思惑が働き、そのなかでオーストリアは永世中立を選んだと見ることもできるかもしれません。

現にオーストリアは、先ほど述べたようにアメリカ合衆国、ソ連、イギリス、フランスとの条約で永世中立国として承認されています。1995年に永世中立国となったトルクメニスタンが国連総会で承認されているのに比べると、オーストリアの永世中立国への道には、大国の思惑が強く関わっていたように思えます。

もっと賢く立ち回れたかもしれないオーストリアの事情

歴史に「if」は禁物ですが、もしオーストリアがもっとしたたかだったら、どうなっていたでしょうか。ドナウ川という重要な水系を抱えているという点を活用し、東西との間で主導権を握ることもできたかもしれません。

しかし、そうはならなかったのが歴史の真実です。

ドイツの敗戦は、ドイツに併合されていたオーストリアの敗戦でもありました。そのためオーストリアは周辺国に対して強気に出られなかったわけですし、スイスのように強い軍隊をもつこともできなかった。そんな実情もあったのかもしれません。

ともあれ、こうして確立されたオーストリアの中立性は、その後、首都ウィーンが国際会議や交渉の舞台になるなど、国際社会で重要な役割を果たすことにつながりました。

ちなみにオーストリアは国際連合やEUに加盟していますが、NATOには加盟していません。今なお軍事的中立性は維持されているわけです。

他方、中立といえば、長くロシアと西欧の緩衝地帯としてやってきたスウェーデンとフィンランドの存在も見過ごせません。この2カ国は、永世中立国ではないものの、NATO諸国とロシアの中間に位置する「緩衝国」となっており、ある種、ロシアの安心材料になってきたわけです。

ところがロシアによるウクライナ侵略が始まってからほどなくして、この2カ国はNATOへの加盟を申請しました。ノルウェーは早くに承認されましたが、クルド人テロリストの問題に対するスウェーデン政府に対応に難色を示していたトルコが反対していました。NATOは全加盟国の承認が必要なため、トルコの反対でスウェーデンは加盟を1年以上待たされていました。しかし2023年7月、トルコとスウェーデンは「テロ対策の連携」で協力することを約束し、トルコはスウェーデンの加盟を議会に提案することで同意しました。そして、トルコのエルドアン大統領は「トルコのEU加盟への扉も開けるべきだ」と言及しました。

ロシアによるウクライナ侵略の一因には「NATOがこれ以上拡大するのは我慢ならない」という思惑があるはずですが、結果として、ロシアはNATO加盟国を増やし、自分で自分の首を絞めることになっています。

第3章

現代史の「宗教」「民族」を地理学で考える

ユダヤ人とアラブ人——終わりの見えない争い

ユダヤ人を理解する二大キーワード——ディアスポラとシオニズム

ユダヤ教を信仰するユダヤ人の歴史と現況を理解するには、まず「ディアスポラ（民族離散）」と「シオニズム運動」を知るところから始める必要があります。

まずディアスポラとは『旧約聖書』の「申命記」に由来する「離散」「散在」を意味するギリシャ語です。歴史上、主にユダヤ人が自分たちの故郷から世界中に散らばる現象を指す言葉として使われる傾向にあります。

その歴史は古く、始まりは紀元前6世紀です。ユダヤ人たちが暮らしていたエルサレムを新バビロニア王国が征服し、多くのユダヤ人がバビロニアに連れ去られたことが、最初のディアスポラとされています。高等学校の世界史では、古代の「バビロン捕囚」と習うところですね。

その後、ローマ帝国時代に入った西暦1〜2世紀にもユダヤ人は迫害を受けます。ローマ帝国軍との戦いでは、70年、ユダヤ戦争の「エルサレム攻囲戦」でエルサレム神殿が破壊され、さらに135年には、「バル・コクバの反乱（第二次ユダヤ戦争）」でエルサレムが陥落。そしてユダヤ教とユダヤの文化を諸悪の根源としたローマ帝国の政策により、徹底的なユダヤ排斥が行われました。

これがどれくらい徹底的だったかというと、ユダヤ暦の使用禁止、ユダヤ教指導者のラビたちの粛清、ユダヤ教の書物の廃棄、さらにはエルサレムの「アエリア・カピトリナ」への改称とユダヤ人の立ち入り禁止……と、かなりのものでした。

ディアスポラは中世ヨーロッパでいっそう進み、多くの地域でユダヤ人は虐殺や追放の憂き目に遭いながら世界中へと離散していきました。

故郷を追われた流浪の民と捉えれば悲劇的ですが、「散在」の本来の意味のとおり、ディアスポラは、ユダヤ教が世界各地に広まり、それぞれの土地でユダヤ人コミュニ

【図3−1】1100年から1600年にかけての
ヨーロッパにおけるユダヤ人の追放による民族移動

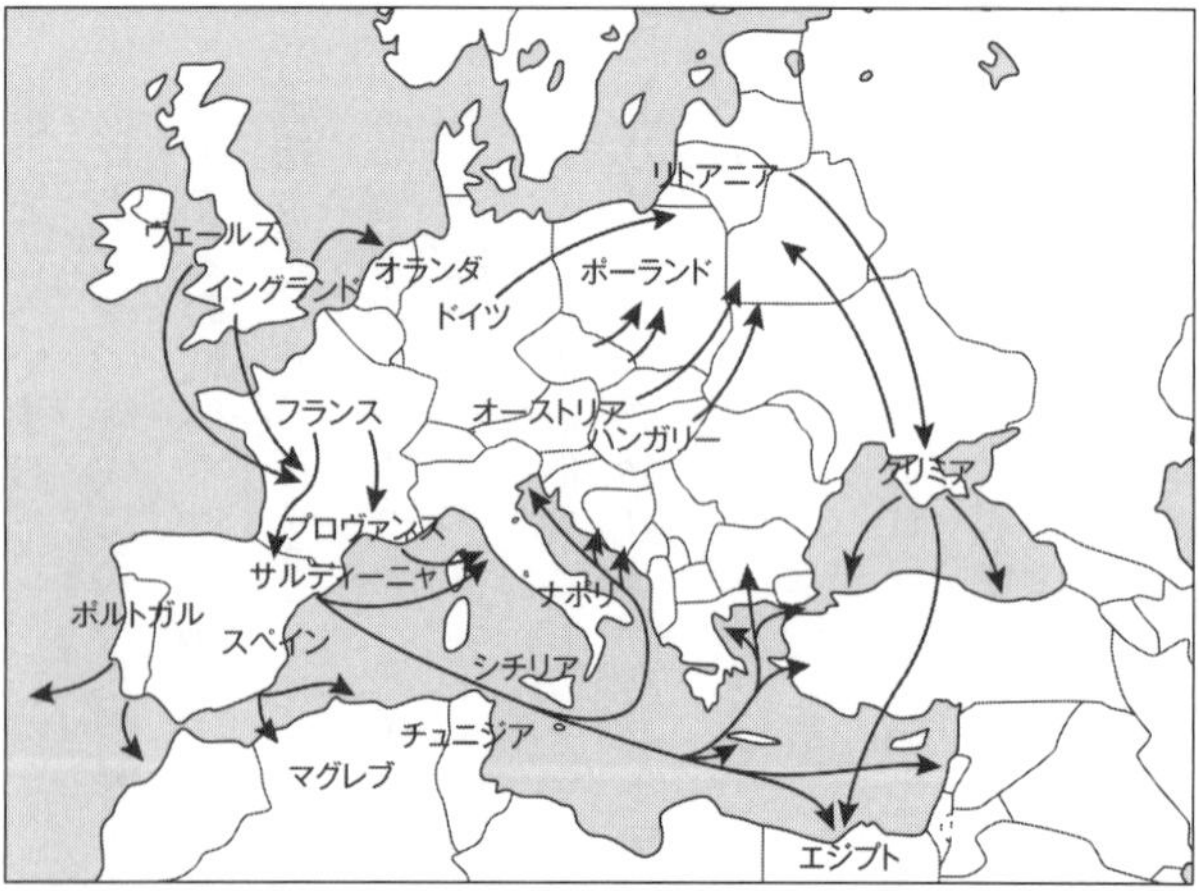

（出典）Anti-Semitism, Keter Publishing House,Jerusalem, 1974をもとに作図して掲載

ティーが形成されることを意味しました。図3－1からも、いかにユダヤ人が広範に散らばったのかがよくわかります。

そして一気に時代は下って19世紀から20世紀初頭にかけて高揚したのが、ユダヤ人の民族主義運動である「シオニズム運動」です。

「シオニズム」とは「シオン（Zion）」と「イズム（ism）」の合成語であり、「シオン」とはエルサレムの古名です。

すなわちシオニズム運動とは、迫害を受けて世界中に離散したユダヤ人が、自分たちの本来の故郷、エルサレムのあるパレスチナに国家を建設し、自治を目指す運動のことです。現在「パレスチナ人」といえばほとんどがアラブ人を指しますが、ユダヤ人からしてみれば「そこにもともと住んでいたのは我々だ！　故郷を返せ！」というわけです。

さて、シオニズム運動は、いってみれば故郷を追われたユダヤ人たちの祖国復帰を願う見果てぬ夢でした。古代に始まり、中世、近世になってもやむことのなかったユダヤ人迫害の反動といってもいいかもしれません。

シオニズム運動が本格したきっかけは、１８９４年にフランスで起こったドレフュス事件でした。

ドレフュス事件とは、当時、フランス陸軍参謀本部の大尉だったアルフレッド・ドレフュスというユダヤ人がスパイ容疑で逮捕されたというもの。嫌疑自体は冤罪でしたが、これを機にヨーロッパで反ユダヤ主義が横行することとなってしまいました。

その様を取材していたのが、ハンガリー生まれのユダヤ人、テオドール・ヘルツルでした。ヘルツルはウィーンの新聞紙、ノイエ・フライエ・プレッセ紙のパリ特派員としてフランス滞在中にドレフュス事件に遭遇し、そこで祖国再建の強い思いを抱いたといわれています。

また、19世紀後半にロシア帝国で起こったユダヤ人大虐殺「ポグロム」も、シオニズム運動の高揚を強く後押ししました。ポグロムが起こった後、多くのユダヤ人がアメリカ合衆国などに安住の地を求めようとした一方、故郷にユダヤ人国家を築くことで迫害に終止符を打とうと考えるユダヤ人もまた相当数いました。

ユダヤ人の帰郷と建国、そして始まる中東戦争

こうして勢いを増したシオニズム運動は、1917年の「バルフォア宣言」に帰結します。

「バルフォア宣言」とは、時のイギリス外務大臣が、ユダヤ系貴族院議員ウォルター・ロスチャイルド宛てに送った書簡で「シオニズム支持」を表明したものです。つまり「パレスチナの地にユダヤ人国家を築いてもいいよ」というイギリス政府のお墨付き

です。

それが現実のものとなったのは、第二次世界大戦後のことでした。

ナチス・ドイツによるホロコーストで６００万人以上ものユダヤ人が虐殺されたことを受け、国際社会では、ユダヤ人の安全と自立を確保する、つまり新たにユダヤ人国家を建設する必要があるという認識が強く共有されました。そして１９４７年、国連がパレスチナ分割案を承認し、「イスラエル」の建国が決定されます。

そもそも西アジアは、英仏によって分割統治されていました。

なかでもパレスチナは、国際連盟（当時）によって委任されたイギリスが統治する委任統治領でした。しかしイギリスは最後まで「面倒を見る」ことはなく、１９４７年2月に委任統治の終了、創設されたばかりの国際連合の場でパレスチナ問題を提起することを発表しました。要するに「放棄」です。そして１９４８年5月14日の「イスラエル独立宣言」により、ユダヤ人は、ついに悲願を達成しました。

しかし、それ以前から混乱が起こっていました。パレスチナからすれば、勝手に国土を分割されたことになるからです。

結局、イスラエルの独立は、パレスチナ人vsユダヤ人という新たな火種を世界に生み出してしまいました。それは周辺のアラブ諸国との戦争にも飛び火し、4度にわたる中東戦争へと発展します。

第一次中東戦争は、まさにイスラエル独立宣言が出された1948年に勃発しました。イスラエル周辺のアラブ諸国――エジプト・サウジアラビア・ヨルダン・イラク・シリア・レバノンがイスラエルに対し軍事行動を起こしたのです。

この戦争の原因が、パレスチナの支配権をめぐる対立であったことは言うまでもありません。結果は翌1949年、イスラエルの勝利となり、イスラエルは国際連合によるパレスチナ分割で決められた以上の領土を得ました。

1956年、「スエズ動乱」とも呼ばれる第二次中東戦争が勃発します。これは英米によるアスワンハイダム建設が中断されたことへの対抗措置としてスエズ運河を国有化したエジプトと、それに反対するイギリス・フランス・イスラエルとの間で起こりました。

戦端はイスラエルがエジプトのシナイ半島へ侵攻したことで開かれました。その間、英仏軍もスエズ運河付近に上陸します。しかしこれらの軍事行動は、エジプトを支援していたソ連と、てっきり英仏の支持に回ると思われていたアメリカ合衆国をはじめとする国際社会から激しく非難されます。つまり、常任理事国のやり方を常任理事国が非難するという図式でした。

結局、国連が調停役を務め、英仏がスエズ運河のエジプト国有化を受け入れる形で終結しました。ただし、これでさらにイスラエルとアラブ諸国の対立が深まっていきました。

ユダヤ人とアラブ人が対立するなか、１９６４年には「イスラエル支配下にあるパレスチナの解放」を目的としたＰＬＯ（パレスチナ解放機構）が設立されます。

ＰＬＯは、パレスチナ人（パレスチナに居住するアラブ人）の民族自決、流浪の民となったパレスチナ人の帰還を訴え、武力によってパレスチナを解放することを目指すものでした。

続いて、第三次中東戦争が勃発したのは1967年のことでした。この戦争は、イスラエルとエジプト・シリア・ヨルダンによる争いでした。

イスラエルはエジプトのシナイ半島、ガザ地区（第一次中東戦争でエジプトが占領）、シリアのゴラン高原、ヨルダンのヨルダン川西岸地区を、たったの6日間で占領して勝利しました。このことから第三次中東戦争は「6日間戦争」とも呼ばれます。

イスラエルは強い軍事力を存分に発揮して圧勝し、領土を4倍以上にも拡大することに成功しましたが、国連は「建国当初以上の領土」を認めていません。現にこの戦争でイスラエルが占領した地域は、世界地図では、イスラエルではなく元の国の領土として表記されています（一部「紛争中」と表記した地図もあります）。

また、この第三次中東戦争は、ユダヤ人の「故郷」であるエルサレムの全域をイスラエルが支配したという意味でも重要です。しかし、これも国際社会では正式に認められておらず、「むき出しの導火線」は残ったままです。第三次中東戦争により、パレスチナ問題の解決はさらに遠のいてしまいました。

「石油の安定供給」しか頭にない大国が介入

そして1973年、「ヨム・キプール戦争」とも呼ばれる第四次中東戦争が勃発します。エジプトとシリアが、ユダヤ教徒の安息日「ヨム・キプール」の日にイスラエルに先制攻撃したことに始まります。

「寝首をかかれた」とはいえ、安息日で予備役が自宅待機していたこともあり、イスラエルは迅速に部隊を招集して反撃に出ることができました。最終的には戦況を挽回して第四次中東戦争は停戦に至りますが、その直後に、世界経済に影響する別の問題が起こります。第一次オイルショックです。

ＯＡＰＥＣは、中東戦争でイスラエルを支援していた西側諸国への報復として、石油の輸出制限を行いました。供給量が減れば、需要と供給のバランスが崩れ価格が高騰します。石油価格は高騰し、特に欧米諸国や日本などの先進国は経済的に大打撃を受けました。

そこで国際社会にとって重要な課題として持ち上がったのが、「中東問題と石油供給の安定化」でした。中東地域でドンパチが繰り返されている限り、経済活動において欠かせない石油の供給が不安定になる恐れがある。つまり石油の安定供給を得るために、中東問題の安定化に積極的に関与していこうという、何ともゲンキンな理由です。しかし、「国益」とは本来そういうものです。

こうして、アメリカ合衆国をはじめとする西側諸国は、イスラエルと周辺アラブ諸国の和平交渉を積極的に促すようになりました。

1978年のキャンプ・デービッド合意、1979年のエジプト・イスラエル平和条約などの成果はあるものの、イスラエル－パレスチナ間の戦闘やテロ行為は、その後も断続的に続きました。

そんななか、武闘派のPLOを穏健路線へと変更させたのが、PLO第3代執行委員会議長のヤセル・アラファトです。

1988年11月15日、「State of Palestine」の独立が宣言され、翌1989年にはアラファトが初代大統領に就任。実際に自治政府が発足したのは1993年のことでしたが、日本を含むG7すべての国がState of Palestineを国家承認していません。そ

【図3−2】パレスチナ国

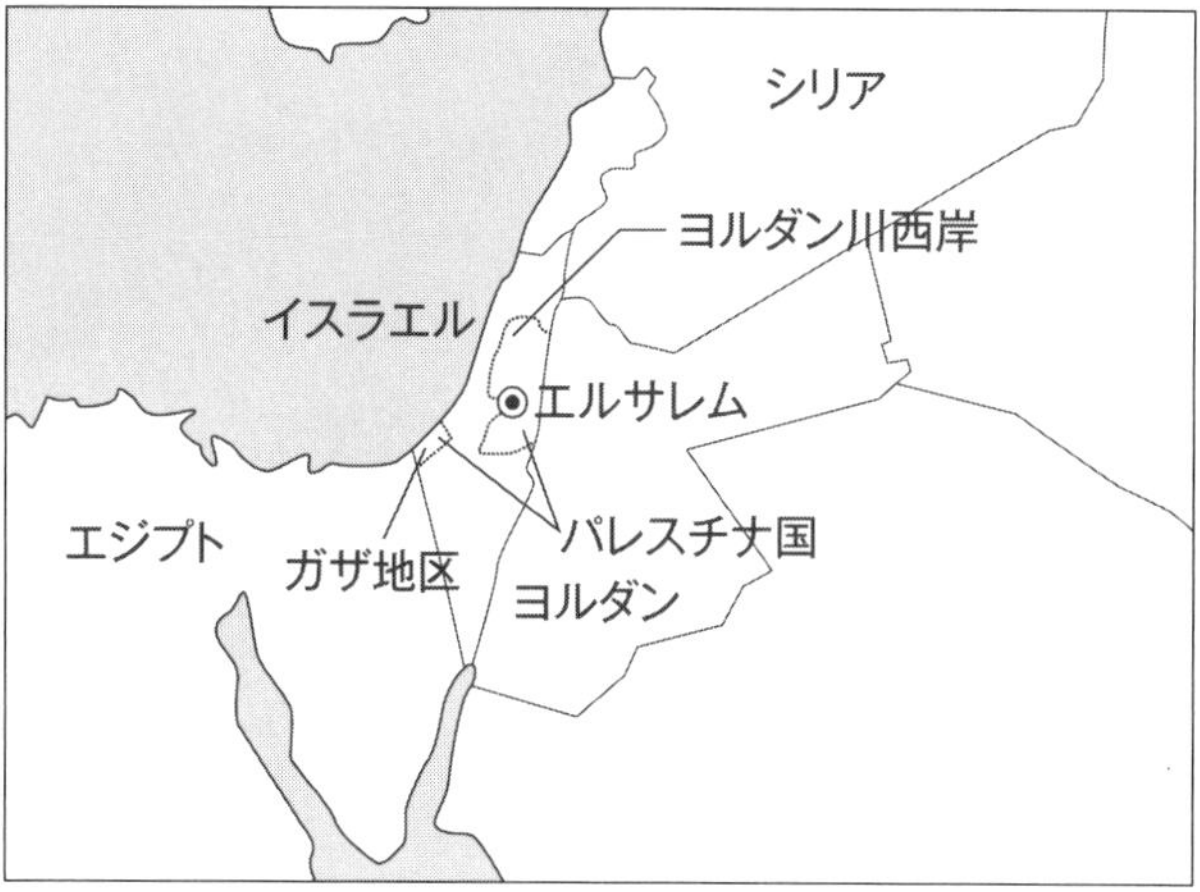

のため、日本国内では「パレスチナ自治政府」と称されることがほとんどです。

ちなみにState of Palestine——「パレスチナ国」はヨルダン川西岸地区とガザ地区を「領土」とし、東エルサレムを「首都」に定めています。

1993年9月、アラファトはイスラエルのラビン首相とオスロ合意を締結し、ヨルダン川西岸地区とガザ地区は「パレスチナ自治区」となりました。

これが、現在「パレスチナ国」

【図3−3】西アジアの植生分布図

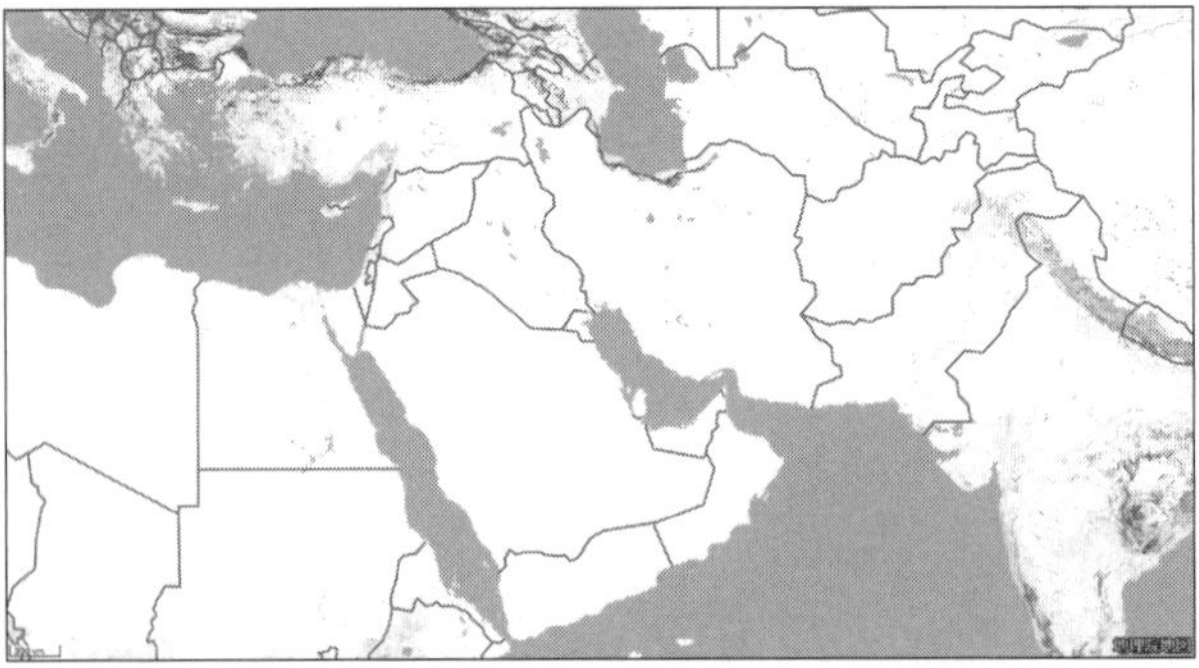

（出典）地理院タイルに国境線を追記して掲載

と称されている地域ですが、同地区はおよそ60%がイスラエルの軍事的な支配下となっています。２００２年には「イスラエルの安全確保のため」との名目で、ヨルダン川西岸地区に隔離壁が建設されました。

これが現在も続くパレスチナ問題の概要ですが、ここでもう一つ、より鮮明な「景観」を得るための視点を加えたいと思います。

パレスチナ問題は、とかく「ア

ラブ人とユダヤ人による民族対立、宗教対立」という点に落とし込まれがちですが、そこには「水資源をめぐる対立」が存在することも踏まえておく必要があると思います。

西アジアというと「なんか乾燥していそうだな」というのは、きっと誰の頭にも思い浮かぶイメージでしょう。そのとおり、図３－３の図を見れば一目瞭然です。

これは地理院地図で作製した「植生分布図」です。西アジアには、「緑」がまるで存在しません。実際、パレスチナで生活するアラブ人居住区は断水などが頻発しており、なかなか水資源の安定供給には遠いようです。

水が豊富な日本で生活していると、ピンと来ないかもしれませんが、思えばイラン・イラク戦争も、シャットゥルアラブ川の水利権による争いから発展したものでした。それだけ「水と安全」は高くつくのです。「水と安全はタダ」と思っている日本人には理解しがたいことなのかもしれません。

四面楚歌状態のイスラエルが歩んだ成功の道

さて、四度の中東戦争を経たイスラエルですが、国土ごと遠いところへ引っ越すなんてことは不可能なわけで、周辺をアラブ人国家に囲まれているという「四面楚歌な地理的条件」は当然ながら変わりません。

そこで高まったのが、「技術革新を通じて国難を乗り切る」という機運でした。それは主に「点滴灌漑《かんがい》」「ダイヤモンド産業」「最先端技術」において結実し、地理的に難しい立ち位置にあるイスラエルが経済成長を続け、国際的な影響力を高めることに寄与しています。

特に1973年の第四次中東戦争で引き起こされた第一次オイルショックを機に、イスラエルでは、それまでの重厚長大型の素材供給産業から、軽薄短小型の加工組立工業へと産業構造の転換が見られました。

資源がないからこそ、四面楚歌の環境下だからこそ、技術力を高めることに心血を注ぎ、国家としての独立を維持してきました。その姿勢は、例えば1990年代には高等学校でプログラミングが必修化されていたことからもうかがえます。

そういう意味で、ユダヤ人たちは「人は資源なり」を地で行く人々であり、イスラエルは「ピンチをチャンスに変えてきた国」といえるのかもしれません。

点滴灌漑とは、管を通じて水と肥料を作物の根元に直に与えるという方法です。管を用いることで、水の浪費を極力、抑えながら作物を育てることができます。

イスラエルは、この点滴灌漑の技術を世界に先駆けて開発、実用化することに成功しました。乾燥気候下にあり水資源が限られているなか、持続可能な農業と、80％を超える食糧自給率をイスラエルは実現しているのです。それでも、穀物や肉類の自給は困難なようです。

また、イスラエルはダイヤモンドの産出国ではないのですが、独自技術によるダイヤモンドの加工・販売では世界的な地位を築いています。

南アフリカ共和国などのダイヤモンド産出国から原石を輸入し、国内で研磨などの加工を行い、再輸出する。その際に利用されるテルアビブのイスラエル・ダイヤモンド取引所は、世界第2位のダイヤモンド取引所になっています。高値で取引されるダイヤモンドは、イスラエル経済の大黒柱の一つといっていいでしょう。

そして先端技術産業です。イスラエルが「スタートアップ・ネーション」と呼ばれていることをご存じでしょうか？　実は、そのように称されるほど、イスラエルはイノベーションと起業精神が旺盛な国なのです。特にIT産業、サイバーセキュリティー、医療技術、クリーンテクノロジーなどの分野では世界的な競争力があります。国内外からの投資も盛んです。

また、イスラエルの最先端技術の発展を支えるものとして、軍事産業の存在は見過ごせません。イスラエルに限った話ではありませんが、高度な軍事技術の民間転用により、最先端技術を誇る国になっているというわけです。

かつて理不尽にも故郷から引き剥がされ、世界中に離散し、ようやく帰郷できたと思ったら、そこではすでに別の民族が国を築いていた。そして故郷の土地をめぐる争いが起こり……と、受難に次ぐ受難の歴史を歩んできたのがユダヤ人です。

そう考えると、「自分たちは特別だ」という選民思想が生まれたのも、うなずける気がしませんか？

もとから恵まれている人ほど、「恵まれている」という自覚がなく、自分を特別だとは思わないものです。

ユダヤ人たちは、散々辛酸を嘗めてきたからこそ、自分たちを特別視し、他民族に対して無理やりにでも優越感を生み出すことで、何とかプライドとアイデンティティを保ってきたのでしょう。そこに、もともと金融業などの商才に長けていることが合わさって、世界の「陰のフィクサー」とも囁かれる一大勢力が出来上がりました。

そういえば、日露戦争に際して戦費調達行脚に出た大蔵大臣・高橋是清が、ついにたどり着いた調達先はジェイコブ・シフというユダヤ人資本家でした。ユダヤ人の受難と成功の歴史は、日本の歴史とも実は交差しているのです。

イスラエル――ヨルダン国交樹立にまつわる「背に腹は代えられない事情」とは？

先ほど、周囲をアラブ人国家に囲まれたイスラエルは四面楚歌であるといいましたが、周辺諸国と完全に対立してしまっているわけではありません。

パレスチナとの終わりの見えない争いにばかり目を向けていると見えてこない、イスラエルとアラブ人国家の意外な関係性にも触れてから、中東の話題を終えることにしましょう。

イスラエルは１９７９年にエジプト、１９９４年にヨルダンと国交を樹立しました。

ヨルダンは国内にパレスチナ難民とその子孫を多くかかえる国ですが、西アジアのなかでは珍しく穏健派の国です。

そのうえで特に注目したいのが、２０２１年11月、イスラエルとヨルダンが水・エ

【図3−4】ヨルダンの太陽光発電割合の推移

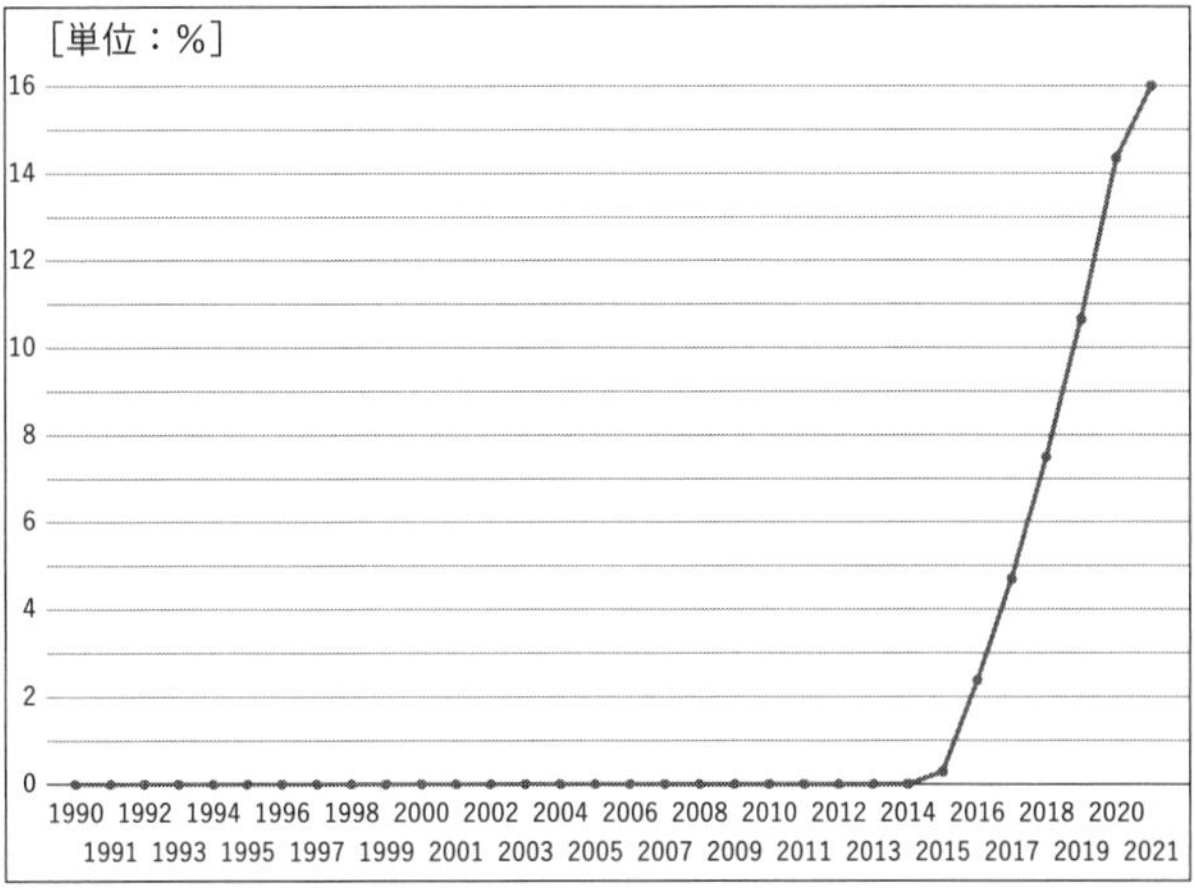

（出典）米国エネルギー情報局（EIA）

ネルギー分野での協力において合意したことです。

ヨルダンは、首都アンマンの年降水量がおよそ270ミリメートルと極端に少ないため、大規模農業経営は困難といえます。そこで点滴灌漑の開発により食料の自給率向上を叶えたイスラエルとの協力体制が築かれたというわけです。

合意の内容をもう少し詳しく見ておくと、イスラエルはヨルダンへ水を輸出し、さらに海水を淡水にするプラントの建設を進めることとなりました。資源とは、鉄鉱石や石炭、原油、天然ガス、レアメタルといったものだけではありません。水も貴重な資源であり、降水量の少ない西アジア諸国においては、それが顕著です。

もちろん、イスラエル側にもヨルダンと協力するうまみがあります。ヨルダンはイスラエルへ電力を輸出し、その電力は太陽光発電によって作られることとなりました。降水量が少ないというのは雨雲があまり発生しない、つまり太陽エネルギーの到達量が大きいことを意味するので、太陽光発電には最適な自然環境といえます。ＥＩＡの統計よりヨルダンの太陽光発電割合を見ると、２０１４年時点では０％だったものが、２０２１年にはおよそ16％と、短期間でその割合を高めているのです（図３－４）。

背に腹は代えられません。イスラエルとヨルダンは「水」「エネルギー」という資源で利害が一致している。それが、民族的・文化的相違や、ヨルダンからすれば「同胞」であるパレスチナと骨肉の争いを続けているというイスラエルの歴史的経緯などを超えて、両国を結びつける鎹《かすがい》になったというわけです。

中国とウイグル――文化を剥奪されてきた人々の間で高まる独立志向

新疆ウイグル自治区で何が起こっているのか？

中国には、およそ960万平方キロメートルを誇る広大な国土面積に56もの民族が暮らしています。共産党の一党独裁体制で何とか抑え込んではいるものの、いつ戦いの火蓋が切られるかわからない「むき出しの導火線」が存在しているといえます。

なかでも厳しい統制で中国政府が批判されているのは、新疆《しんきょう》ウイグル自治区とチベット自治区です。

まず、新疆ウイグル自治区と聞いて「綿花」を思い浮かべた人、冴えていますね。

そのとおり、新疆ウイグル自治区は中国最大の綿花の生産地です。

綿織物工業は「綿花の生産＋低賃金労働力」という条件のもとで発展します。この条件を兼ね備えている中国、インド、パキスタンは、綿織物生産量トップ3の常連国です。

ただし、ちょっと不思議に思えるかもしれませんが、中国は綿花の輸出国であると同時に、輸入国でもあります。新疆ウイグル自治区という綿花生産地があるというのに、なぜ、わざわざ海外から綿花を買っているのでしょうか。

それは、①綿織物の生産・輸出には沿岸部が適しており、②原材料の綿花を新疆ウイグル自治区から沿岸部へと輸送するよりも、海外から輸入（沿岸部に到着）した綿花を工場に回したほうが、原材料の輸送コストが安く済むからです。

つまり、「輸入した綿花で綿織物を生産して輸出する」「国内で生産した綿花を材料にして綿織物を生産して海外に輸出する」という二重構造になっているわけです。

記憶に新しいところでは、ユニクロを運営するファーストリテイリングが、非人道的な過重労働を強いられている新疆ウイグル自治区で生産された綿花を製品に使っているとして糾弾される、なんていう事案もありましたね。

【図3－5】新疆ウイグル自治区

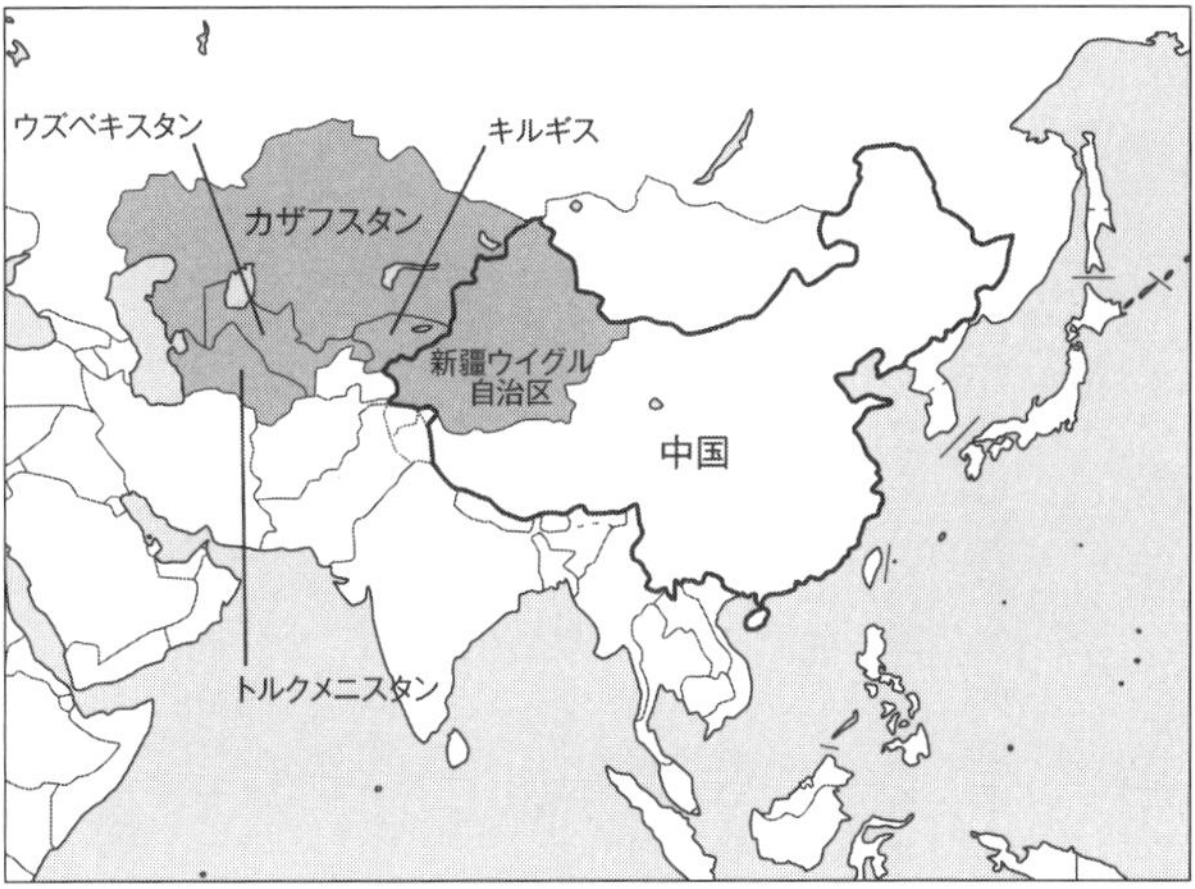

これも一つのきっかけとなって、あるウイグル人女性の体験をまとめた『私の身に起きたこと』（清水ともみ著／季節社）という絵本が広く知られることとなりました。みなさんのなかにも、この絵本で初めてウイグルの人たちが置かれている現状の一端に触れ、胸を痛めたり、怒りを覚えたりした人がいるかもしれません。

中国北西部に位置する新疆ウイグル自治区は、古来、ウイグル族が暮らしてきた地域です。かつては「東トルキスタン」という独立国家であり、民族的・文化的には、さらに西方に位置するウズベキスタン、トルクメニスタン、カザフスタン、キルギス、つまりかつての西トルキスタンと同じテュルク系です（図3－5）。

ちょうどシルクロード上に位置する東トルキスタン、西トルキスタンは、古来、東西の交易の中継地として栄えてきました。それが18世紀から19世紀にかけ、東トルキスタンだけ切り取られるような形で清に吸収され、新疆省が設立されました。

20世紀に入り、東トルキスタンは2度の独立を果たしましたが、いずれも短期のうちに中国政府に鎮圧。そして1949年、中華人民共和国の設立とともに、新疆省改め新疆ウイグル自治区となりました。

民族体系はテュルク系、言語はテュルク語族のウイグル語、信仰はイスラーム（スンニ派）――漢民族とは異なる血筋や信仰をもつウイグル族は、ずっと中国政府から目の敵にされてきました。

中国政府の狙いは、漢民族の優位性を保つためにウイグル民族の文化を根絶やしにし、彼らを脱ウイグル化させることです。

ウイグルの文化や宗教活動を制限し、さらには脱ウイグル化を施す再教育キャンプに強制収容する。こうした非人道的な措置が国際社会の非難を浴びていますが、中国政府はどこ吹く風。何をとっても中華思想で我が道を行く中国政府は、国際的な評価をほとんど気にしないのです。ある意味、強いなと妙に感心してしまいますが、もちろん肯定はしません。

さて、そんな辛酸を嘗めてきた新疆ウイグル自治区は、先に述べたとおり、中国最大の綿花の生産地です。中国は世界最大の綿花生産国ですから、つまり新疆ウイグル自治区は世界の綿花生産の中心地ということです。

しかし「新疆ウイグル自治区は綿花栽培で栄えている」というのはまったく現実を言い当てていません。中国政府によるウイグル族の強制労働、人権侵害が、新疆ウイグル自治区の綿花栽培に色濃く影を落としているのです。

「漢民族ファースト」――中国政府の少数民族戦略

他の中国の少数民族についても触れておきましょう。

チベット自治区に暮らしているチベット民族は、シナ・チベット語族のチベット語を話し、チベット仏教を信仰しています。

チベット族にとって宗教的指導者のダライ・ラマは尊敬の対象ですが、中国政府は、チベット族が独立を目指す精神的支柱となりかねない危険人物と捉えていて、「一つの中国」を崩壊させる「分裂主義者」として非難しています。

中国の5つの自治区のなかで、少数民族が最大人口となっているのは、新疆ウイグル自治区とチベット自治区だけあり、残りのコワンシーチョワン族自治区、内モンゴル自治区、ニンシアホイ族自治区の3つは区内の最大人口は漢民族です。そのため特に両自治区は独立の機運が高いのです。

「自治区」とは、中国政府が少数民族に対して一定の自治権を認めることで、中国政府が円滑に統治できるために設けられたものですが、実際には、今も述べてきたように言語や宗教が抑圧されてきました。そのため、自治区の住民の間で独立を求める声が高まっているのです。

すでに触れたウイグル族、チベット族のほか、内モンゴル自治区に暮らすモンゴル族など、中国には55の少数民族が認められています。「認められている」というのは、中国政府が認定しているということであり、その根底には「漢民族の割合を最大にしておきたい」という思惑がありそうです。

中国政府としては、「漢民族が圧倒的多数」と強調することで、中国共産党の統治権力を強化したいのでしょう。そこで少数民族を細分化し、力を分散させることで、少数民族が一枚岩となって中国政府に歯向かってくることを防ごうという魂胆です。

また、中国政府は、少数民族が暮らす地域への漢民族の移住を推奨することでも少数民族の政治的・文化的影響力を弱めようとしています。こうして、支配した土地に古くから根付いている文化を自分色に染めるというのが、いつの時代も変わらない中国のやり方なのです。

アルメニアとアゼルバイジャン――宗教の違いが生んだ仁義なき戦い

紛争の火種は「民族・宗教の境目」にあり

中東地域に位置するアルメニアとアゼルバイジャンの間には、長い間「むき出しの導火線」が存在しており、それをきっかけに「仁義なき戦い」が繰り広げられてきました。その「むき出しの導火線」とは、宗教の違いからくる領土問題です。

まず両国の位置関係を地図で確認しましょう（図3－6）。

これだけだと何が争いの種になっているのか、さっぱりわかりませんよね。では改めて、次の要素を踏まえて地図を色分けしてみましょう（図3－7）。

アルメニアの宗教はキリスト教のアルメニア正教会。実は301年にキリスト教を

【図3−6】アルメニア、アゼルバイジャン

国教とした「世界最古のキリスト教国家」として知られています。

一方、アゼルバイジャンはシーア派イスラーム教徒が多数を占めています。

さらに両国の周辺国にも目を向けてみると、アゼルバイジャンとアルメニアの南側で国境を接しているイランはイスラーム、アルメニアの西側で国境を接しているトルコもイスラームと、アルメニアはイスラーム国家に囲まれています。

【図3−7】宗教別に色分けした地図

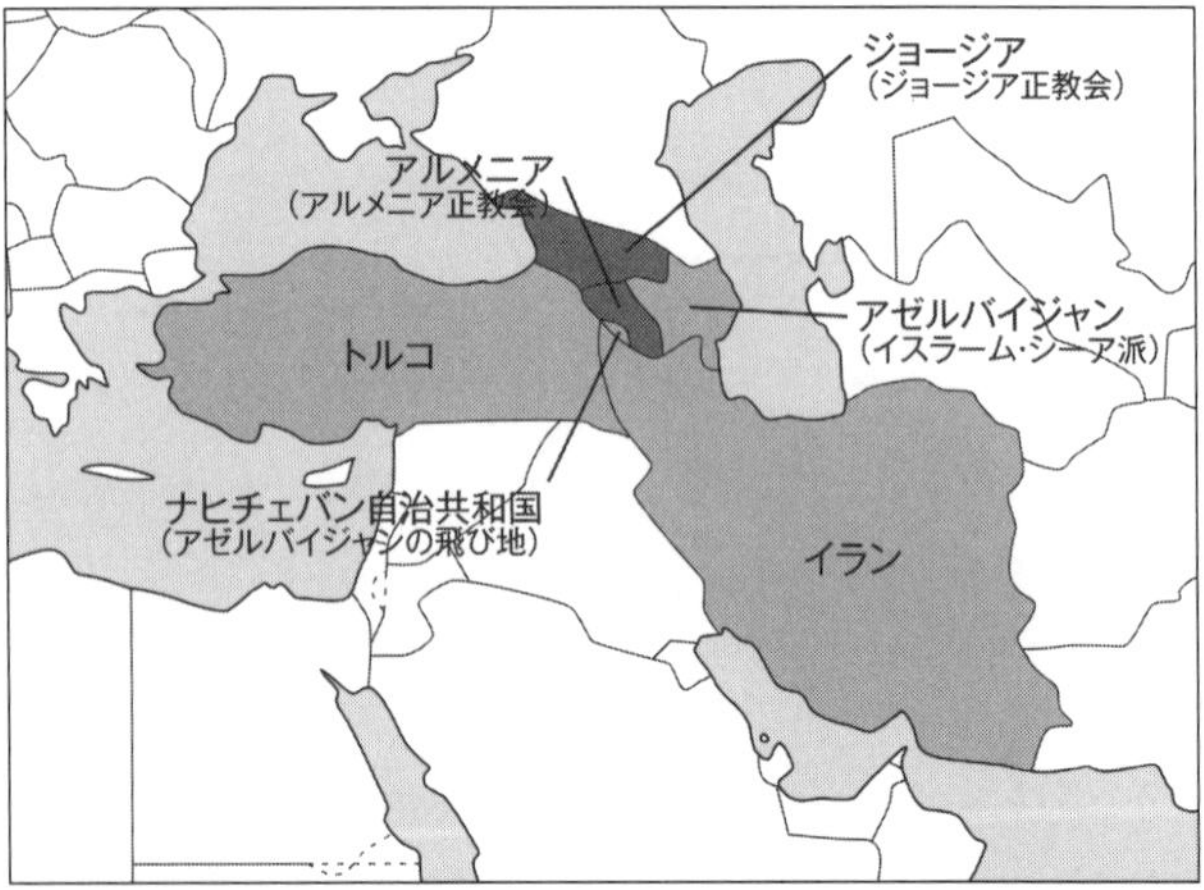

唯一、アゼルバイジャンとアルメニアの北側で国境を接しているジョージアはキリスト教のジョージア正教会です。

この宗教的な違いが、両国が長きにわたり対立してきた根源的な理由といえます。他の紛争地域にも当てはまることですが、民族・宗教の境目は「紛争の火種」となりやすいのです。

そもそもアルメニアとアゼルバイジャンは、ジョージア（当時はグルジアと呼ばれていました）とともに「ザカフカース社会主義連邦ソビエト共和国」という1つの国でした。1922年から1936年のことです。

ザカフカースは国名のとおりソ連の構成国でした。民族や宗教が異なる国を1つにまとめて構成国とするという試みでしたが、ソ連の思惑に反して1936年に3カ国に分裂、グルジア・ソビエト社会主義共和国、アルメニア・ソビエト社会主義共和国、アゼルバイジャン・ソビエト社会主義共和国となりました。

この3カ国はソ連崩壊後に独立しますが、ここからアルメニアとアゼルバイジャンの「仁義なき戦い」が始まります。より厳密には、再燃したといったほうがいいでしょう。もとから宗教的に折り合わなかった両国がソ連からの独立を回復してから、領土をめぐって争うようになったのです。

アゼルバイジャン発のパイプラインがアルメニアを迂回する理由

アルメニアとアゼルバイジャンが領有権で争っているのは、ナゴルノ・カラバフ自治州とナヒチェバン自治共和国です。

ナゴルノ・カラバフは、国際的にはアゼルバイジャンの一部とされているのですが、アルメニア人が多く居住していることから「紛争の火種」となっています。

これは今に始まったことではありません。かつて帝政ロシア崩壊後に成立したアルメニア第一共和国とアゼルバイジャン民主共和国の間では、カラバフ（ナゴルノ・カラバフを含む地域）をめぐって、その名も「アルメニア・アゼルバイジャン戦争」が起こりました。

ソ連時代には、ソ連によって「アルメニア領」とされるも、アゼルバイジャンの猛反発により覆えされ、アゼルバイジャン領内の「自治領」とされました。その後も、ことあるごとにアルメニアはナゴルノ・カラバフのアルメニアへの編入を求めましたが、ついぞ認められることなく1991年12月にソ連は崩壊します。

その少し前の1991年9月、ナゴルノ・カラバフは「アルツァフ共和国（ナゴルノ・カラバフ共和国）」として独立を宣言しますが、国際社会では承認されませんでした。

この独立宣言は、アゼルバイジャンとアルメニアの「ナゴルノ・カラバフ紛争」の

【図3−8】アルメニアの実効支配地域

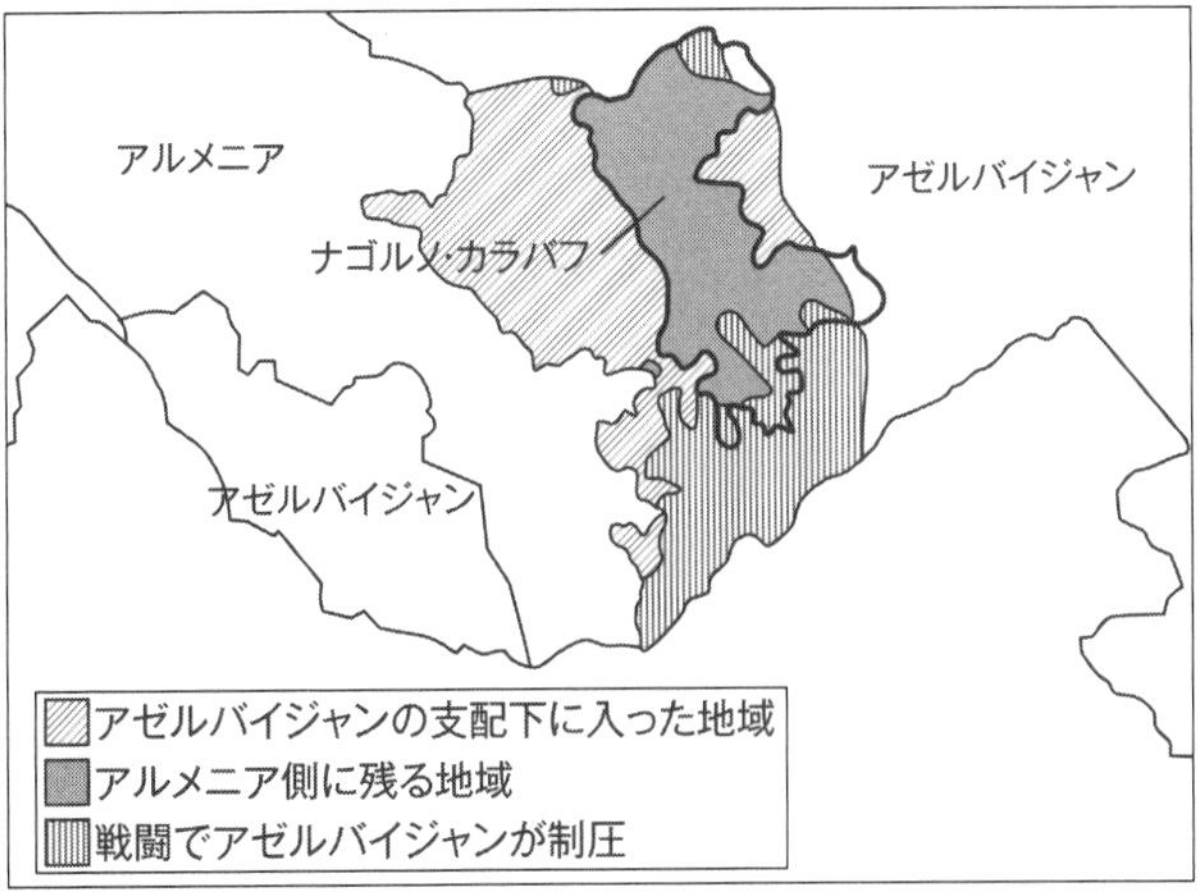

（出典）朝日新聞デジタル（2023年1月19日）

最中に行われました。３万人の死傷者と１００万人もの難民を出したこの戦争は、１９９４年に停戦。その後は、図３－８のようにナゴルノ・カラバフの大半およびその周辺地域を、アルメニア人が実効支配しました。

両国の軍事衝突は、２０１４年、２０１６年、２０２０年と断続的に起こってきました。直近の２０２０年の紛争で、アルメニアは、１９９４年以降の支配地域を大幅にアゼルバイジャンに取り返されてしまいますが、ナゴルノ・カラバフ地域は独立性を保っています。

そして実は2022年9月ごろにも、ナゴルノ・カラバフをめぐる緊張が両国間で高まっていました。

私は中東のメジャーニュースサイト「アル・ジャジーラ」で知ったのですが、日本の国際ニュースはウクライナ情勢一色で、おそらく、ナゴルノ・カラバフのことを報じていたところは皆無です。もっとも、ウクライナ情勢がなくても報じていたかどうかは、かなり怪しいところですが……。

人間の空間認識は、その国のメディアによるところが大きいのですが、日本の報道機関の視野の狭さは今に始まったことではありません。つまり、国内で報じられることだけを見ている限り、私たちの空間認識は広がらないといえます。

今はDeepLなどの翻訳ツールがかなり進化しており、英語ニュースを読む際の障壁はほとんどありません。「空間認識」を広げ、より多くの「景観」を手に入れるために、日ごろから世界のニュースサイトをチェックするというのも、ぜひ本書を通じ

【図3−9】ナヒチェバン自治共和国

ておすすめしたいところです。
もちろん、自力で読めると一番良いのですが……。

話を戻して、ナヒチェバン自治共和国はアゼルバイジャン共和国に属する自治国です。

地図を見ると、ナヒチェバン自治共和国はアゼルバイジャンの一部ではなく、アルメニアの国土に隔てられていることが確認できます。つまり、飛び地です。

このようにアゼルバイジャンの飛び地になっていることから、ナヒチェバン自治共和国は、ナゴルノ・カラバフをめぐるアルメニアとアゼルバイジャンの領有権争いの影響を常に受けているのです。

ところで「BTCパイプライン」をご存じでしょうか？　これはアゼルバイジャンのカスピ海沿岸からジョージア、トルコを経由して地中海沿岸へと原油を輸送するためのパイプラインなのですが、なぜかアルメニアを通らずにジョージアを迂回しているのです。

今、「なぜか」と訝しげに述べてしまいましたが、先ほど見てきたアルメニアとアゼルバイジャンの事情がわかった今なら、もう簡単に答えられるでしょう。

要するに「領土問題で争っているアンタらのところは通りたくない」という話というわけです。もう少し真面目にいうと、長年、2つの地域の領有権をめぐって争ってきた「敵国」を通るのは、セキュリティー的にも政治的にもリスクが高いから、より親密な国を経由しようという判断です。

地図で見れば明らかですが、アルメニアを通過するルートのほうが、はるかに距離が短く、経済効率が高い。にもかかわらず、わざわざそこを迂回するところに、両国の領土問題の根深さが表れています。

アフガニスタン――「国ガチャ」の残酷さをもっとも物語る国

アフガニスタンの現代史とは「紛争と難民の歴史」である

アフガニスタンは、いわずと知れた紛争地帯であり、深刻な難民問題はいまだに解決の兆しがありません。

ところで読者のみなさんは、「移民」「難民」「避難民」の違いはご存じですか？

まず、１９５１年に設立された国際移住機関（ＩＯＭ）によると、「移民」は「本来の居住地を離れて、国境を越えるか、一国内で移動している、または移動したあらゆる人々」とされています。

次に「難民」は、1951年の「難民条約」で「人種、宗教、国籍、政治的意見、あるいは特定の社会集団に属するという理由で、自国にいると迫害を受ける恐れがあるために他国に逃れ、国際的保護を必要とする人々」と定義されています。

では「国内避難民」はどうかというと、「災害や戦災などから避難した人々」というざっくりとした定義しかありません。

これらは国際法で定義されたものではありませんが、アフガニスタンから逃れている人たちは、間違いなく「難民」といえます。2021年の統計によると、アフガニスタンの難民発生数は世界3位、270万人にも上ります（1位はシリアの680万人、2位はベネズエラの460万人）。もちろん、2022年以降はウクライナ難民が急増しました。また、タリバン政権の復活により、アフガン難民も急増しました。

今まで断続的に起こってきたアフガニスタン紛争により、これほど多くの人々が自国から逃れなくてはいけなくなったのです。

①１９７８〜１９８９年のアフガニスタン紛争

１９７８年、アフガニスタンでクーデターが起こり、社会主義政権が樹立されました。これに反発するイスラーム系武力勢力「ムジャーヒディーン（ジハード遂行者）」がソ連の支援を受けて軍事行動を開始。１９７９年にはソ連も直接介入し、軍事侵攻を行いましたが、経済的負担や内外の政治圧力により１９８９年に撤退します。この紛争はソ連の崩壊の大きな一因となると同時に、アフガニスタン国内に多くの破壊と混乱をもたらしました。

②１９８９〜２００１年のアフガニスタン紛争

１９８９年のソ連撤退後も、アフガニスタン国内では内戦が続いていました。いくつかのムジャーヒディーン勢力が政権をめぐって対立し、激しい戦闘を繰り広げていたのです。

ここで急速に勢力を増してきたのがウサマ・ビン・ラディン率いるイスラーム原理主義組織「タリバン」でした。１９９６年には首都カブールを制圧してアフガニスタン・イスラム首長国を樹立しますが、国際社会の最大の懸念は、タリバンが「アルカイダ」などのテロ組織を支援していることでした。

③2001~2021年のアフガニスタン紛争

2001年9月11日、アメリカ合衆国でアルカイダによる同時多発テロが発生しました。すぐさまアメリカ合衆国はアフガニスタンに侵攻するとタリバン政権を打倒し、アフガニスタンに新政権が樹立されました。ただしタリバン政権が倒れた後も、指導者のウサマ・ビン・ラディンは健在であり、アフガニスタンでは、外国軍とタリバン残党の戦闘が続きました。

2014年、アメリカ合衆国とNATOは主要な戦闘任務を終え、アフガニスタン国内の治安維持活動は、アフガニスタン政府軍へと移行します。しかしタリバン勢力は衰えを見せず、政府軍とタリバンの戦闘は続行。それまで以上に出口の見えない、泥沼の様相を呈していきました。

2021年には、ドナルド・トランプ政権時代に結んだ合意により、ジョー・バイデンアメリカ大統領によってアフガニスタンに駐在していたアメリカ軍は完全に撤退しました。そして、NATOも同様のタイミングで撤退しました。

その間隙を突くかのように、タリバンが急速に勢力を拡大させ、アフガニスタン全土を支配下にしていきます。同年8月、タリバンはついに首都カブールを制圧し、アフガニスタンの政権は、事実上、タリバンが握ることとなりました。

イスラーム原理主義を掲げるタリバンの復権により、女性の権利や教育、言論の自由が制限されるなど、非常に厳格なイスラーム法に則った統治が始まりました。もはや人権侵害といえるタリバンの統治下から逃れようと、大量の難民が流出していることは国際問題となっています。

アフガニスタンの問題とは、つまるところ、難民問題といっていいでしょう。

近隣諸国や欧米諸国では「アフガニスタン難民の受け入れをどうするか」について言及する国もあるにはありますが、大量に難民を受け入れれば自国の経済的・社会的負担が増大することは必至であるため、解決の糸口を見つけられずにいるというのが現状です。

【図3−10】アフガニスタンの植生地図

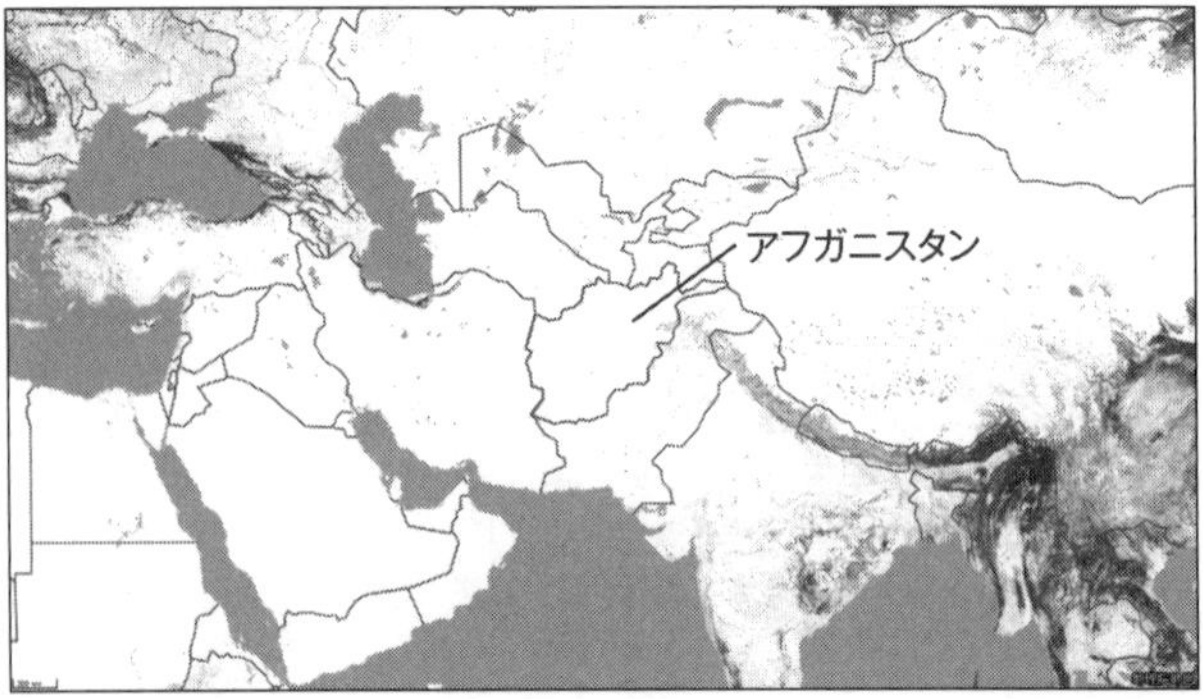

（出典）地理院タイルに国境線を追記して掲載

「ないないづくし」のアフガニスタンに経済成長の芽はあるか？

　ここでちょっと見ていただきたいのが、図3−10のアフガニスタンの植生地図です。

　ほぼ真っ白ですが、間違って「白地図」を載せてしまったのではありません。アフガニスタンは緑が非常に少ない砂漠地帯なのです。なぜなら、図3−11に示したとおり、アフガニスタンは夏のモンスーンの通り道に

【図3−11】夏のモンスーンが通らないアフガニスタン

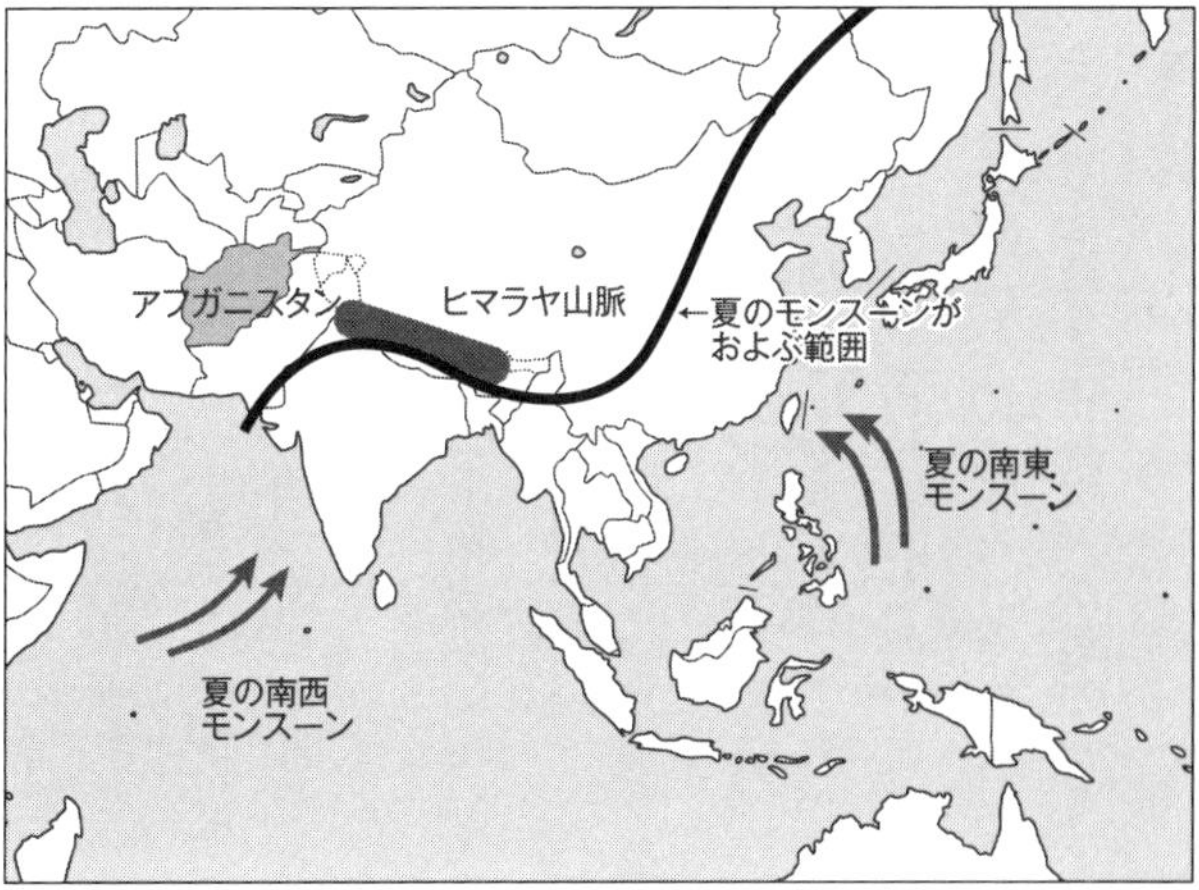

入っていないからです。

砂漠とはいえ、時には大雨が降ります。雨の受け皿となるのは木々が大地に根を張っている森林ですが、アフガニスタンには、その森林がほとんどありません。国土面積に占める森林面積割合はたった１・85％（2020年、ＦＡＯ）しかなく、時々アフガニスタンで大規模な洪水が起こるのは、こうしたことが要因です。図からもわかるように、パキスタンなども同様の事情を抱えていると容易に想像できます。

国土の大半が植生のない乾燥地帯で、雨が少ない、かといって石油がとれるわけでもない。文字どおり、「ないないづくし」です。あるといえば、そこそこの地下水資源があるので、それを使ってほそぼそと自給用に農業を営むくらいでしょうか。


近年、「親ガチャ」「上司ガチャ」「先生ガチャ」といった言葉が散見されますが、それを言うなら「国ガチャ」がもっとも容赦ないものかもしれません。私は日本に生まれた時点で「宝くじに当たったようなもの」であるとすら思います。

データを見ても、アフガニスタンの一人当たりＧＮＩはたった３７７米ドル（２０２１年、国際連合）しかなく、これより値が小さいのはブルンジとイエメンしかありません。とにかく貧しい国なのです。国力の源の一つは教育ですが、教育に力を入れようにも原資がありません。そして女性に対する教育の機会均等などは存在せず、さらにそこでは繰り返し紛争が起こっています。難民が大量発生するのは必然なのかもしれません……。

【図3−12】アフガニスタンの首都カブールと東京の降水量比較

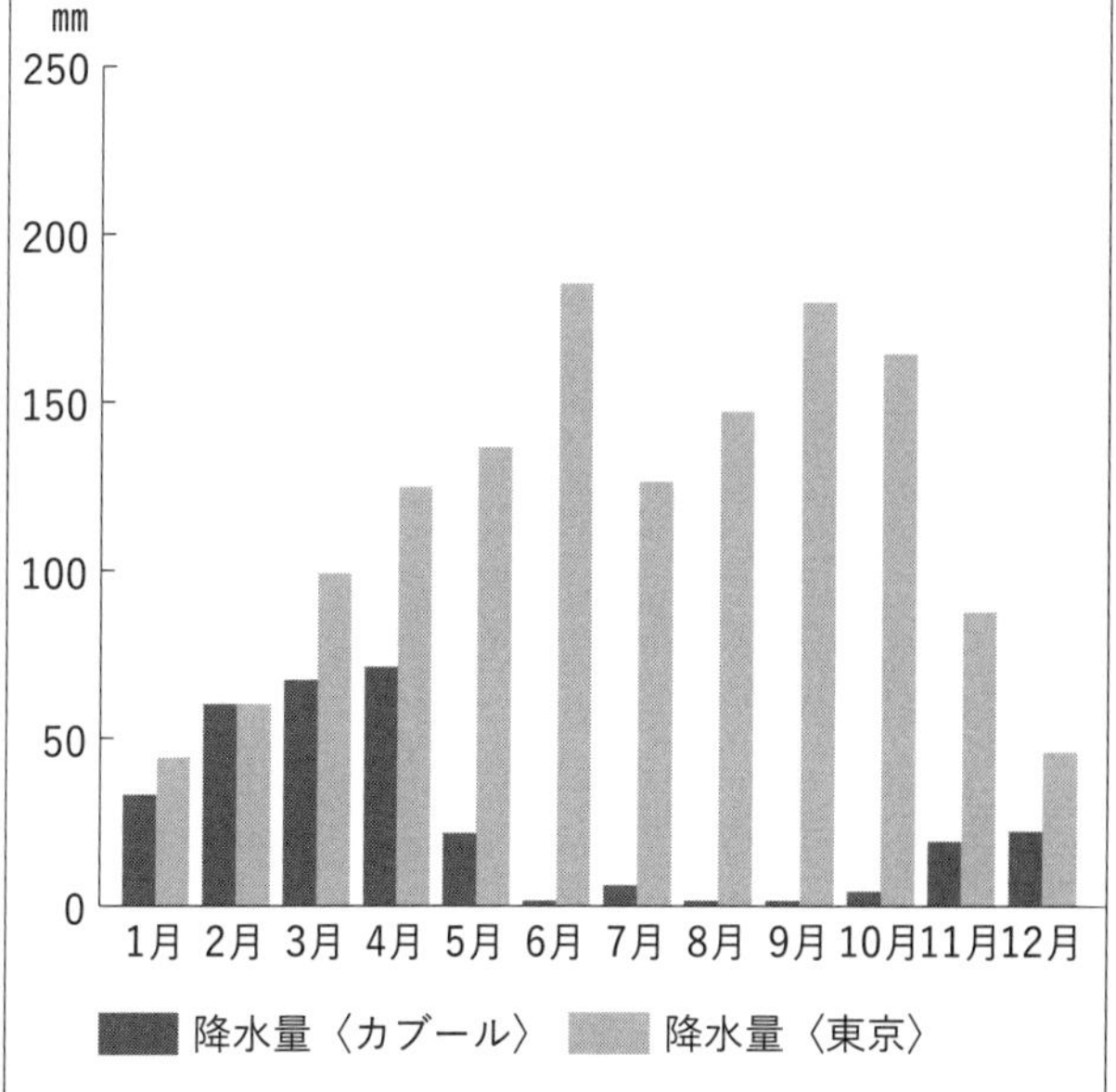

【図3−13】アフガニスタンの地下資源

石炭輸出量	18位/215カ国（2021年）
石油輸出量	76位/215カ国（2018年）
天然ガス輸出量	59位/211カ国（2021年）

（出典）米国エネルギー情報局（EIA）

セルビアとコソボ――
バルカン半島の複雑な歴史を地理学で理解する

地図を宗教で色分けすると、手に取るように事情がわかる

かつて「ヨーロッパの火薬庫」と呼ばれたバルカン半島の歴史は複雑です。特に島国・日本に暮らしている私たちにとって、異民族、異教徒が地続きでひしめきあっている状況は、なかなか想像がつきづらいものでしょう。

ここでも理解の助けとなるのは、やはり地図です。さっそくバルカン半島の民族・宗教の分布を色分けして見てみましょう。

図3－14を念頭に歴史を追いかけてみると、バルカン半島の国々の複雑な関係性がすんなり理解できるはずです。

【図3−14】バルカン半島（旧ユーゴスラビア）の民族分布

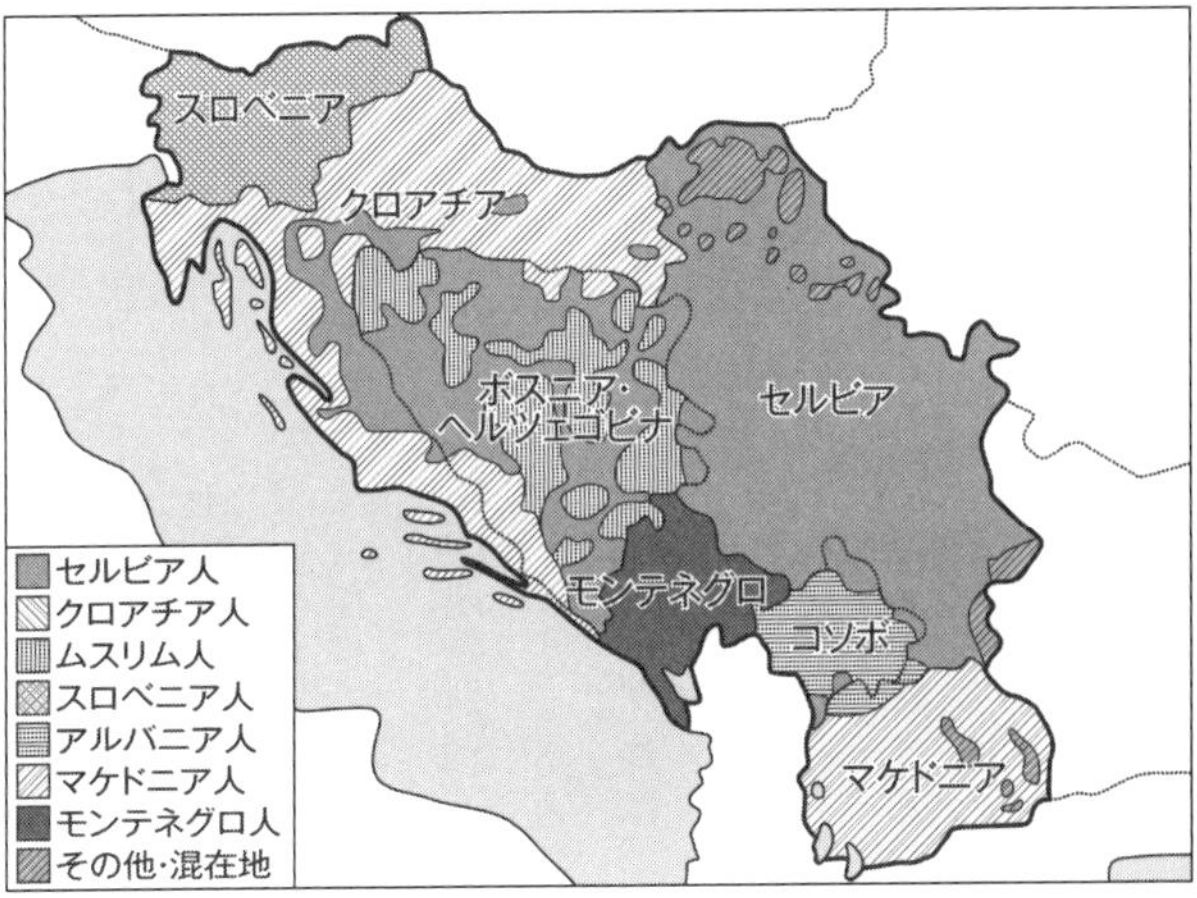

第二次世界大戦が終了した１９４５年、バルカン半島にユーゴスラビア社会主義連邦共和国が成立しました。

構成国は、スロベニア社会主義共和国、クロアチア社会主義共和国、ボスニア・ヘルツェゴビナ社会主義共和国、セルビア社会主義共和国、モンテネグロ社会主義共和国、マケドニア社会主義共和国の６カ国。図３−14中、太線で囲ったところです。

政体は国名に「社会主義」とついているとおりですが、冷戦下においてはソビエト連邦とは一線を画す独自の社会主義路線を歩んでいました。

宗教的にはキリスト教（正教会とカトリック）とイスラーム、民族的にはスロベニア人、クロアチア人、セルビア人、ボシュニャック人（ムスリム人）、マケドニア人が混在していましたので、そもそも1つの国家として存在することは難しかったといえます。

ユーゴスラビア社会主義連邦共和国は、ソ連崩壊後の1992年に解体されました。そこでスロベニア、クロアチア、ボスニア・ヘルツェゴビナ、マケドニアの4カ国が独立。残るセルビアとモンテネグロは、ユーゴスラビア社会主義連邦共和国改め、ユーゴスラビア連邦共和国となりました。

ただし、政権運営はセルビア主導で行われていたため、モンテネグロ側では独立の気運が高まります。その不満を抑えるために、2003年、ユーゴスラビア連邦共和国は、セルビア・モンテネグロへと改称されました。まったく別の国ではないけれども互いの独立性は尊重する、ゆるやかな共同体を目指したのです。

しかし後から顧みると、これは段階的な独立の1プロセスでした。というのも、2

006年、セルビア・モンテネグロは円満にセルビア共和国とモンテネグロ共和国に分かれたからです。

コソボ独立を「認めない国々」の共通点

問題はここからです。

セルビア人の多くはセルビア正教会を信仰していますが、南部のコソボ自治州にはアルバニア系住民（イスラームを信仰）、北部のヴォイヴォディナ自治州にはマジャール人というハンガリー系住民（カトリックを信仰）を居住しており、国内には公式に認められている20もの少数民族が住んでいました。

2008年、コソボはセルビア共和国からの独立を宣言しますが、国際社会は承認する国と否認する国に割れました。

アメリカ合衆国やイギリス、フランス、ドイツ、日本などが承認に回る一方、否認したのは、当事国のセルビア、中国、ロシア、EU加盟国ではスペイン、ギリシャ、キプロス、スロバキア、ルーマニアなどでした。

ロシアが否認したのは、同じスラブ民族としてセルビアに友好的だったからともいえます。

しかし、これらの国々がなぜ否認したのかというと、ほとんどが少数民族の独立問題を抱えているからです。下手にコソボの独立を認めたら、どこかの政党のように壮大な「ブーメラン」となって返ってきます。ロシアのチェチェン共和国、中国の新疆ウイグル自治区、スペインのカタルーニャ自治州など、自国内での少数民族の独立問題が勃発するかもしれない。そんな、「むき出しの導火線」に火を点けるようなことはしたくない、というわけです。

2019年の時点で、国連加盟国中、コソボの独立を承認しているのはおよそ100カ国。数の論理では承認多数ですが、「コソボの独立は永遠に認めない」としているセルビアのほか、拒否権を持つ中国、ロシアが否認に回っているため、国連ではいまだに承認されていません。おそらく今後も難しいでしょう。

【図3−15】旧ユーゴスラビアの国々の現在の一人当たりGDP

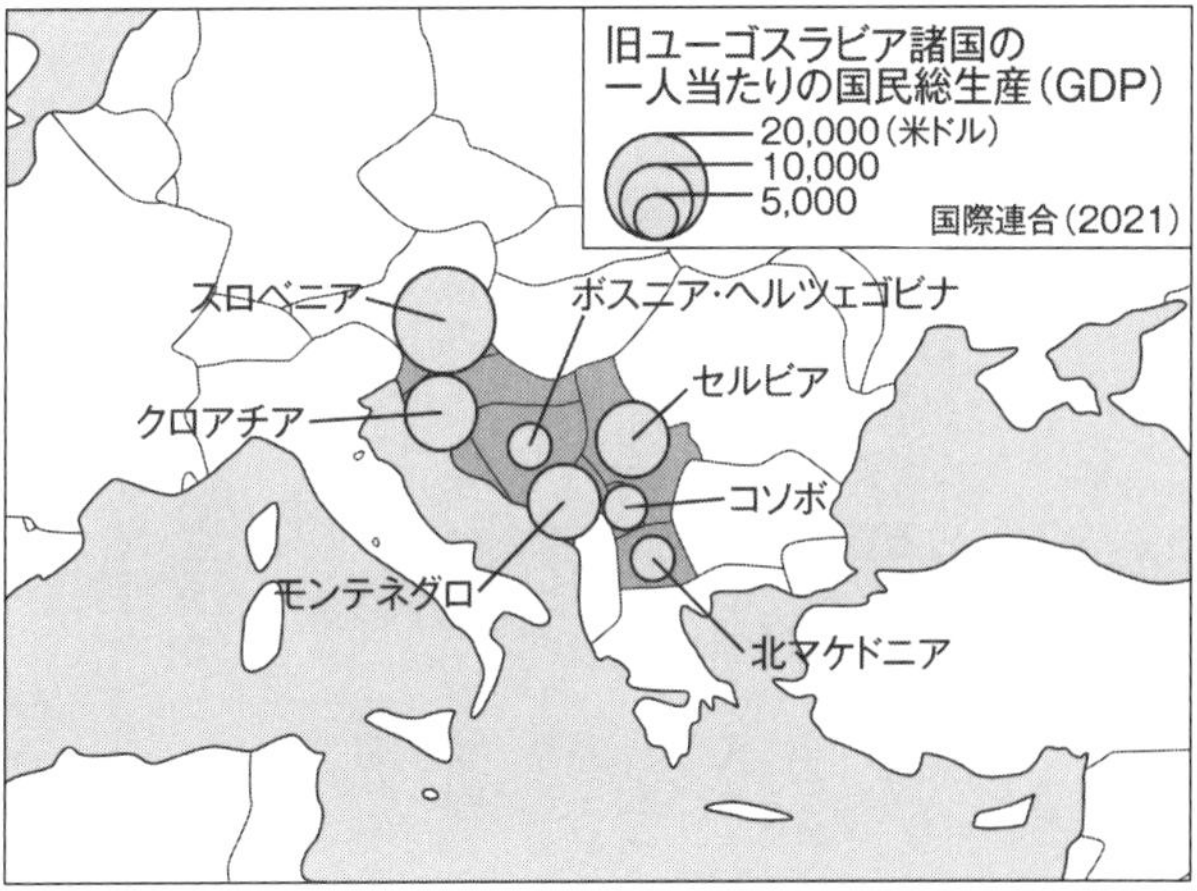

それでも独立を選ぶのか？ コソボの一人当たりGDPが物語ること

とはいえコソボには、すでに国旗もあれば独自の憲法もあります。事実上は「独立国家」になったといっていいでしょう。国連加盟は叶っていませんが、２０２２年12月にはＥＵ加盟を申請しました。

ただし「独立したらめでたし、めでたし」かといえば、そうとはいえない現実があります。

旧ユーゴスラビアの国々の現

在の一人当たりGDPを並べてみると、図3－15で明らかなように、コソボはもっとも低いのです。他の独立を目指す民族も、いざ独立したらしたで似たような事態に陥る可能性があります。独立国家として立つのは大変なのです。

外から見れば「セルビアの一地方のままでいたほうが豊かに暮らせたんじゃないの？」なんて思ってしまいそうですが、それでも「独立して自分たちの民族だけで主権をもつ国をつくりたい」という考えこそが「帰属意識」というものです。
「限りなく単一民族国家に近い」日本で生活する我々にとっては、なかなか実感として捉えづらいところかもしれませんが、地図とともに他国の歴史を眺めてみることで、「宗教分布」という空間認識ができ、そして「民族自決（を求める人々）」という景観を獲得することもできるのです。

カシミール――印パ因縁の戦いの最後の舞台

「イギリス領インド帝国からの独立」がすべての始まり

かつてインドは、事実上のイギリス植民地でした。

イギリスが直接支配をしていたムンバイ、マドラス（現チュンナイ）、コルカタなどの地域を除くと、実に６６４もの藩王国があり、イギリスは藩王国を治める各藩王にイギリス王室への忠誠を誓わせ、間接的に藩王国を支配していたわけです。

藩王国を治める藩王は「ラージャ」と呼ばれ、特に強大な権限をもっていた「ラージャ」は「マハーラージャ」と呼ばれました。日本では「マハラジャ」といわれることがある用語です。

さて、第二次世界大戦後にインドが独立する過程で、マハトマ・ガンディー、ジャワハルラール・ネルーなどが中心となった国民会議派は、インドを異なる宗教を信仰する民族を一緒にして一つの国として独立することを主張しました。

しかし、モハメッド・アリ・ジンナーが率いるムスリム連盟はイスラーム国家の分離・独立を主張しました。その後、交渉が進むにつれ、両者の対立は決定的なものとなっていきます。

イギリスは、イスラーム教徒が多数居住する東ベンガル（現在のバングラデシュ）、西パンジャーブ、シンド、バルチスターン、北西辺境の地域をパキスタンとします。

そして残りの地域をインドとして独立する案を提示したところ、国民会議派、ムスリム連盟ともにこれに同意しました。余談ですが、「PAKISTAN」とは、各地域の頭文字をつなげてできた国名で、パキスタンの名前の由来となった地域が含まれています。「K」はカシミールを意味します。


インドに対する宗主権を放棄する際、イギリスは664の藩王国に対して「インドとパキスタンのどちらに帰属するかは各藩王の裁量に任せる」としました。とはいいつつも、インドに近い藩王国はインドへ、パキスタンに近い藩王国はパキスタンに帰属するよう強く推奨しました。

しかし、ハイデラバードとジュナガル、カシミールの3つの藩王国は、それぞれの帰属が未決定のまま、印パ両国の独立の日を迎えました。

ハイデラバードはイスラーム教徒の多い藩王国でしたので、インドからの独立を希望しました。ジュナガルは住民の多くがヒンドゥー教徒でしたが、藩王がイスラーム教徒だったこともあり、パキスタンへの帰属を希望しました。

そしてカシミールは、住民の多くはイスラーム教徒で、藩王はヒンドゥー教徒でした。藩王は独立を希望しますが、これにパキスタンは応じ、一方でインドは応じなかったため、帰属未決定となりました。

このうちハイデラバードとジュナガルの両藩王国は、結局、インドの武力行使によってインドへ統合されます。ハイデラバードの藩王は帰属に応じ、ジュナガルの藩王はパキスタンに逃亡しました。

こうしてカシミールだけが帰属未決定の宙ぶらりん状態で残り、インドとパキスタンの因縁の戦いが始まるのです。

【図3−16】カシミールをめぐるインドとパキスタンの因縁

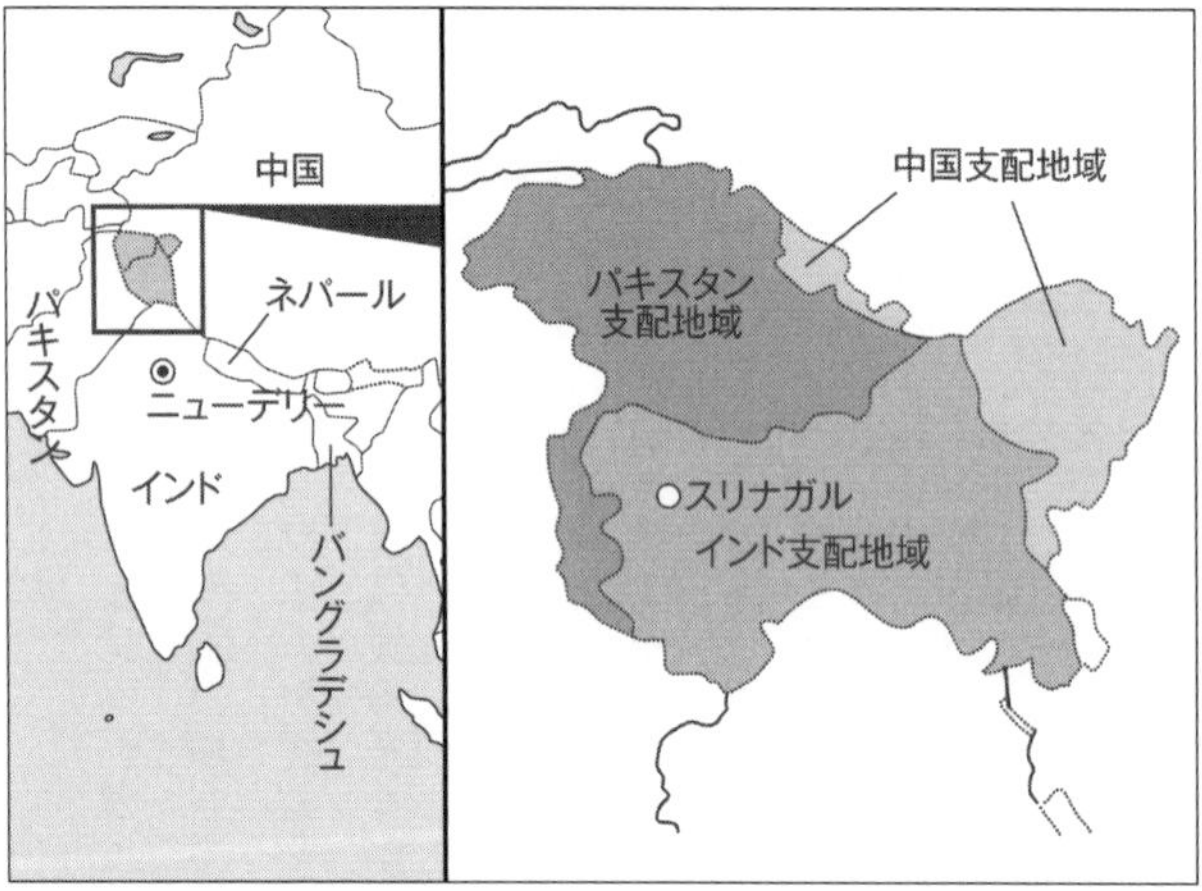

いずれも引かない緊張状態は、結局、どう決着したのか？

まず揺さぶりをかけたのは、パキスタンでした。１９４７年10月、パキスタンにいるパシュトゥン人（イスラーム教徒）の暴徒をカシミールに侵入させ、藩王にパキスタンへの帰属を求めたのです。

暴徒化したパシュトゥン人は、カシミールの中心都市スリナガルの近郊にまで達したため、危機に瀕したカシミール藩王ハリ・シンは、インドのネルー首相に援軍の提供を求めました。

これに対し、ネルー首相が答えます。

「インド領ではないカシミールに、インドの軍隊を派遣できない。インド軍の派遣を望むなら、カシミールのインドへの帰属を暫定的でもよいから表明すべきである。正式の帰属については、事態が収束した後に、住民投票で民意を確認するべきである」

藩王はその案に従い、直ちにカシミールのインドへの帰属を明示した文書を提出します。それを受けて、インドはカシミールに援軍を送ります。これを機に、パキスタンも軍隊をカシミールに派遣。この衝突が第一次印パ戦争の発端となりました。

戦局はインド有利に動きました。そして1948年1月1日、インドは国連安全保障理事会に「パキスタン軍の介入は不法である」と提訴しました。しかし1月15日、今度はパキスタンが同理事会に「カシミールのインドへの帰属は無効である」「インド軍の介入は不法である」として逆提訴しました。

このため、国連安保理は紛争の調停機関として「インド・パキスタン国連委員会」を設置。約1年にわたり紛争の解決に当たりました。12月になると、停戦、撤退、住民投票の3つから成る合意が成立し、翌年1月1日に停戦が決まりました。

しかし、停戦は実現したものの、仕掛けたパキスタンの軍隊が先に撤退しないことを理由にインド軍は撤退せず、両軍が停戦ラインに沿って対峙する緊張状態が続くこととなりました。実効支配は停戦ラインを挟んでカシミール全体の東側5分の3がインド、また西側5分の2がパキスタンとなりました。

パキスタンは、カシミール問題の解決策として住民投票の実施を主張。対するインドは、カシミールのインドへの帰属を既成事実化しようと、1965年11月、ジャム・カシミール州議会に、同州がインドの一部であることを明確にした州憲法を採択させます。

以来、インドは「ジャム・カシミール州のインドへの帰属は決定済みで、パキスタンが主張するような住民投票の必要はなく、パキスタンこそがカシミールの一部を不法に占拠している」と一方的に主張するに至りました。

なお停戦成立後、カシミール地方におけるパキスタンが支配する地域は、アーザード・カシミール（自由カシミール）と呼ばれていましたが、現在は同地域の大部分がギルギット・バルティスタンと改められ、停戦ラインの南端の細長い部分だけがアーザード・カシミールと称されています。

このように、インドとパキスタンはカシミール問題をめぐって長く緊張状態にあり、関係改善のめどが一向に立ちませんでした。その間、国連はもとより、イギリスやアメリカ合衆国、ソ連などの主要国がそれぞれ単独でカシミール問題の調停を試みますが、いずれも失敗に終わっています。

1950年代後半になると、中国とソ連の対立が顕在化します。ソ連はインドを支援し、中国はパキスタンを支援したため、印パの対立は中国とソ連の代理戦争のような状況となっていきました。

こうしてインドと中国は対立するようになり、1959年、両国は国境線をめぐってロンジュ事件やコンカ峠事件で衝突しました。1962年、これに勝利した中国はインドとの国境線をインド側に進め、以後カシミール地方のアクサイチン地区は中国によって実効支配されています。ラダック連邦直轄領のすぐ東側に位置しています。

1965年8月になると、中国がアクサイチン地区の実効支配を完成させた影響で、パキスタンもカシミール地方へ武装集団を送り込みました。

これにインドが応戦して第二次印パ戦争が勃発しますが、開戦してすぐに国際連合の仲裁で停戦が合意されました。1966年にはソ連の仲介で開催された和平会談で和平合意がなされ、カシミールは再び、停戦ラインに沿って印パ両軍が対峙する緊張状態となりました。

この緊張状態に変化が生じ、最終的にカシミールにおけるインドの優位性が確立されるのは第三次印パ戦争後のこと。きっかけは、大規模サイクロンが襲ったバングラデシュの独立でした。「え、サイクロン？　どういうこと？」と思いますよね？　次項で見ていきましょう。

バングラデシュ――パキスタン政府の「無為無策」が生んだ独立劇

大規模水害が起こりやすいバングラデシュの地理的条件

１９７１年12月、パキスタンの一部だった東パキスタンがバングラデシュとして独立します。

東パキスタンの独立運動の背景にあったのは、西パキスタン（現在のパキスタン）との間で生じていた政治的な不平等、経済格差、そして文化的な差異です。

東パキスタンの人たちはベンガル語を話し、よりベンガル文化と深いつながりをもっていました。しかしパキスタンの公用語は英語とウルドゥー語であるため、パキスタン政府は東パキスタンにウルドゥー語の使用を強制します。

政治的な不平等、経済格差に加えて、こうした文化的な差異からくる反発心により、東パキスタンでは、かねてより独立への願いがフツフツと湧いていたのです。最終的に、東パキスタン独立の大きなきっかけとなったのは、意外な話かもしれませんが自然災害でした。

1970年11月、巨大サイクロン・ボーラが東パキスタンを襲います。諸説ありますが、少なく見積もって死者は20万人にも及び、家屋は倒壊、農地は荒廃、インフラは壊滅な打撃を受けて、東パキスタンの地域経済と市民生活の基盤は根こそぎ奪われました。

そもそも南アジアは、モンスーンの影響で非常に雨の多い地域です。バングラデシュとて例外ではありません。

乾季（主に11〜4月）は内陸から乾いた風が吹いてくるため非常に雨が少ないのですが、それが雨季（主に5〜10月）になると海上を通過してくる湿った空気が南アジアを直撃し、大量の雨をもたらします。もっとも水害が起こりやすい時期です。

そのうえ、バングラデシュの国土は、ちょうどガンジス川とブラマプトラ川が形作

【図3−17】バングラデシュに大規模水害を引き起こす雨季モンスーン

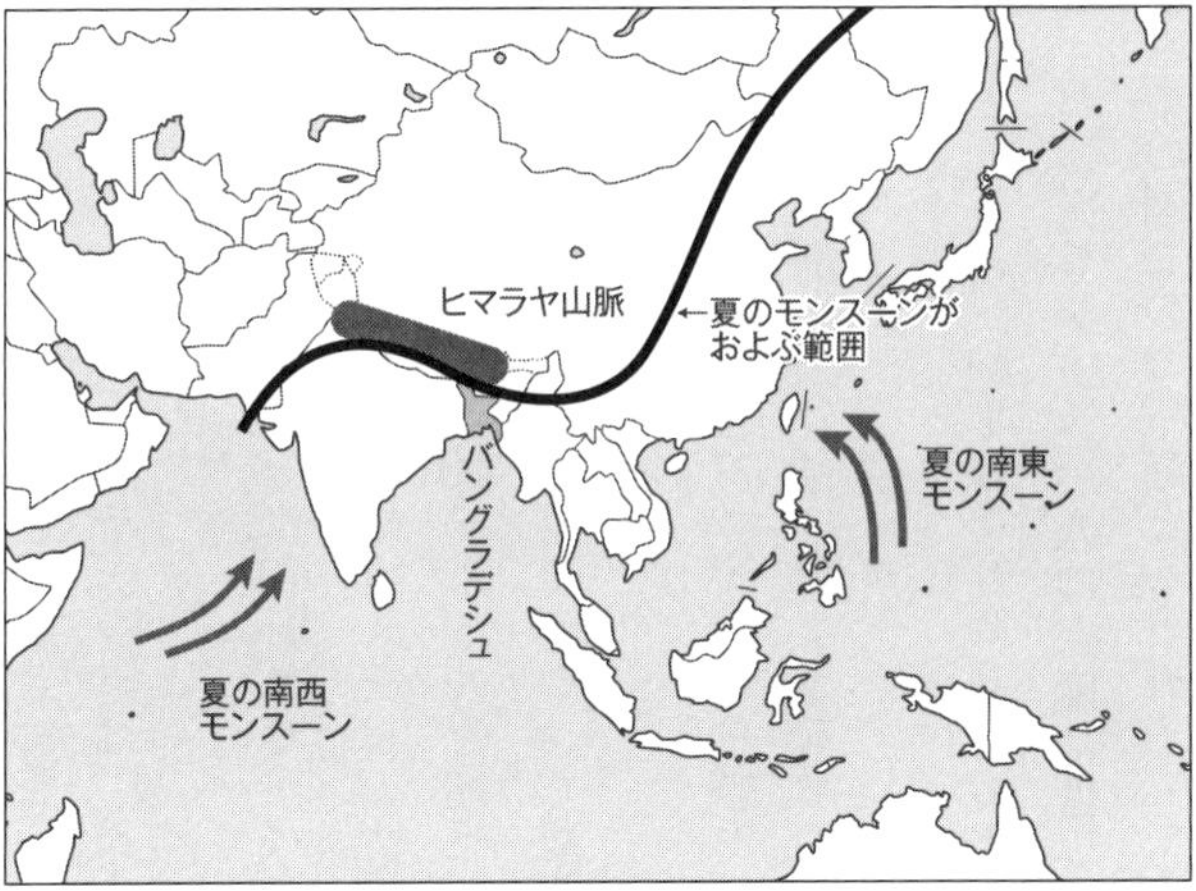

【図3−18】首都ダッカの気温と降水量の年間推移

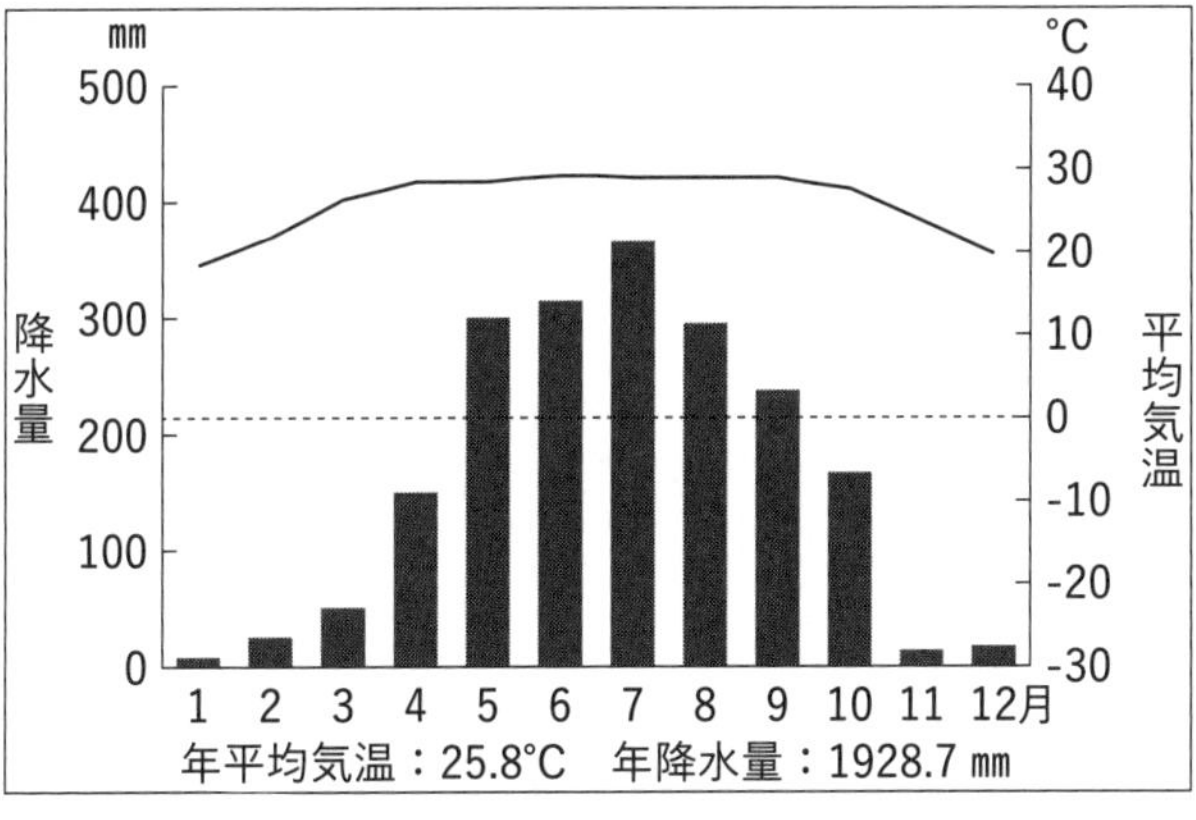

（出典）2022年のデータをもとに作成

る三角州になっています。目の前には海、国土を大河川が流れるという地理的条件が揃っているのです。バングラデシュは、つまり、南アジアのなかでも特に大規模な水害が起こりやすい国なのです。

また、2本の川が運ぶ土砂の影響で、バングラデシュの沖合はかなり遠浅の海域になっています。海が浅いということは、大型船の接岸が困難です。というわけでバングラデシュには、喫水が10メートルを超えるような大型船舶が接岸可能な大規模な貿易港は存在しません。バングラデシュの地理的条件は、なかなか経済成長を遂げられない背景にもなっているわけです。

バングラデシュの首都ダッカは、海抜9メートル以下の平坦な土地に位置します。もっと高台に首都を築けばいいようなものですが、そもそも標高の高い土地がありません。

そんなところに、約1億7000万もの人たちが密集している（面積の小さい国を除けば、バングラデシュの人口密度は世界最大）。おまけに「自動車は憧れ！」という生活水準の国なので、ほとんど掘っ立て小屋ではないかというような脆いつくりの

【図3−19】バングラデシュの標高

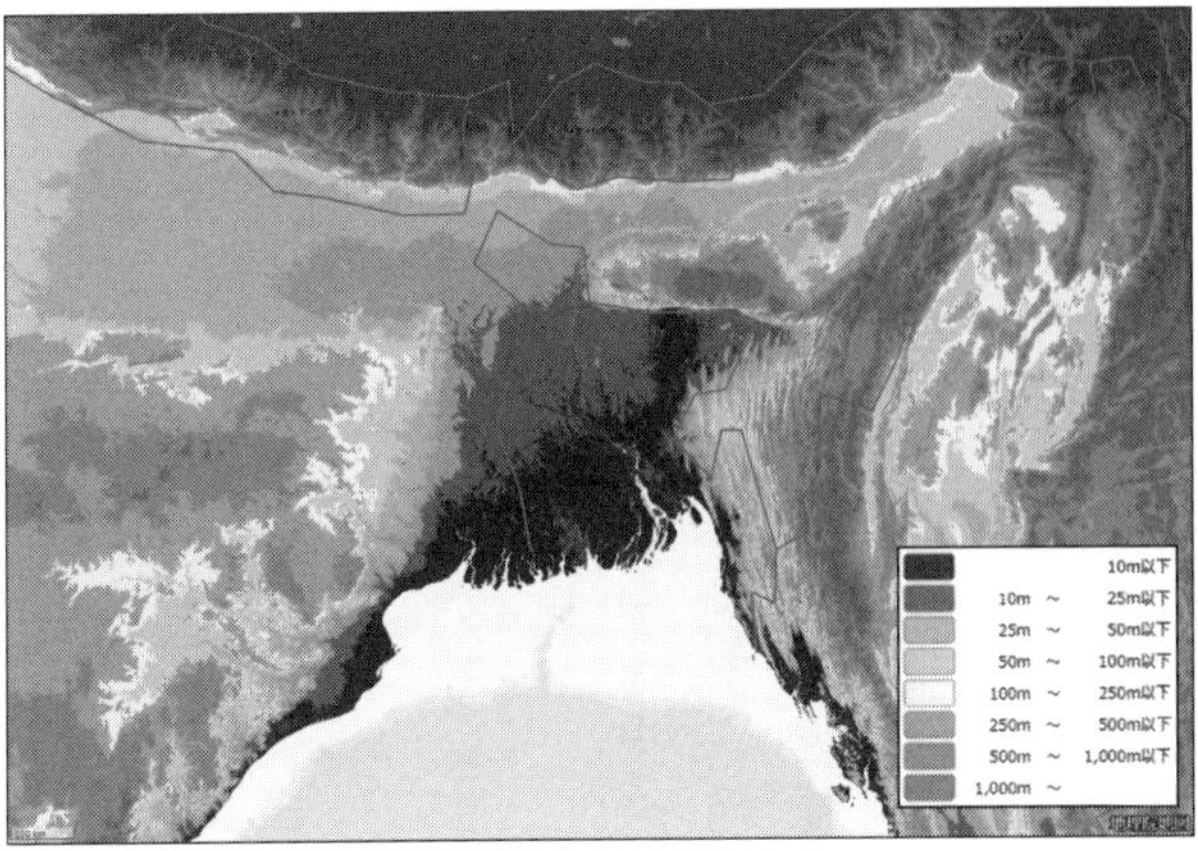

家（バラック小屋）に住んでいる人も数多くいます。

本当に痛ましいことですが、水害のたびに大きな人的被害が生じてきたのは地理的条件からくる必然といわざるをえません。

もちろん、人間の力で被害を最小限に食い止める努力は必要です。現在、バングラデシュの各地には豪雨や強風に耐えられる「サイクロンシェルター」が備えられています。日本のODAによるものです。

サイクロンシェルターのみならず、日本のODAはバングラデシュのインフラ整備や環境改善、医療、農業など幅広い分野で成果を上げてきました。

もちろん、これらは単なる慈善事業ではありません。中国が着々と「一帯一路」構想を現実のものとしようと動いているなか、その重要拠点の一つである南アジアの国との関係を深め、「親日国」をつくることがわが国にとって非常に重要であるというのは、もはや言うまでもないでしょう。

かくしてインドは「南アジアのボス」になった

巨大サイクロン・ボーラで窮地に陥った東パキスタンに対して、パキスタン政府は何をしてくれたか？　結論からいえば無為無策というありさまでした。そのせいで多くの東パキスタンの人々が災害難民となり、インドに流出する事態となりました。

インド政府は難民の受け入れに応じ、手厚い人道支援を提供。それがパキスタンとインドの関係に大きな影響を及ぼし、さらには東パキスタンの独立運動の激化、バングラデシュの誕生にもつながるのです。

１９７１年、第三次印パ戦争が勃発します。

パキスタン政府の無為無策に怒った東パキスタンの独立運動（バングラデシュ独立戦争）に、独立を支持するインドが介入したため、インドとパキスタンの間で武力衝突が起こりました。

この戦争でインドが勝利し、１９７１年12月、東パキスタンは晴れてバングラデシュとして独立しました。

インドとパキスタンは二度の戦争を経つつ、政治的にも軍事的にも、対等の立場を保っていました。しかし、この第三次印パ戦争によって、カシミールでの、ひいては南アジアにおけるインドの優位性が確立していきました。

ロヒンギャ——あるとき突如として火が点いた少数民族に対する差別問題

ミャンマーに住んでいながら、国民として認められていない人々

ロヒンギャは、現在のバングラデシュに起源を持つとされる民族で、信仰する宗教は保守的なイスラーム、言語はインド・ヨーロッパ語族インド・イラン語派に属するベンガル語の方言の一つとされるロヒンギャ語です。

ちなみにインド語派にはインドの公用語の一つであるヒンディー語やパキスタンの国語であるウルドゥー語も含まれます。

ロヒンギャは、ミャンマー西部に位置するラカイン州に推定100万人が住んでいます。世界中に散っていった同胞を含めると、200万人に達するのではないかといわれています。

【図3－20】ミャンマー西部に位置するラカイン州

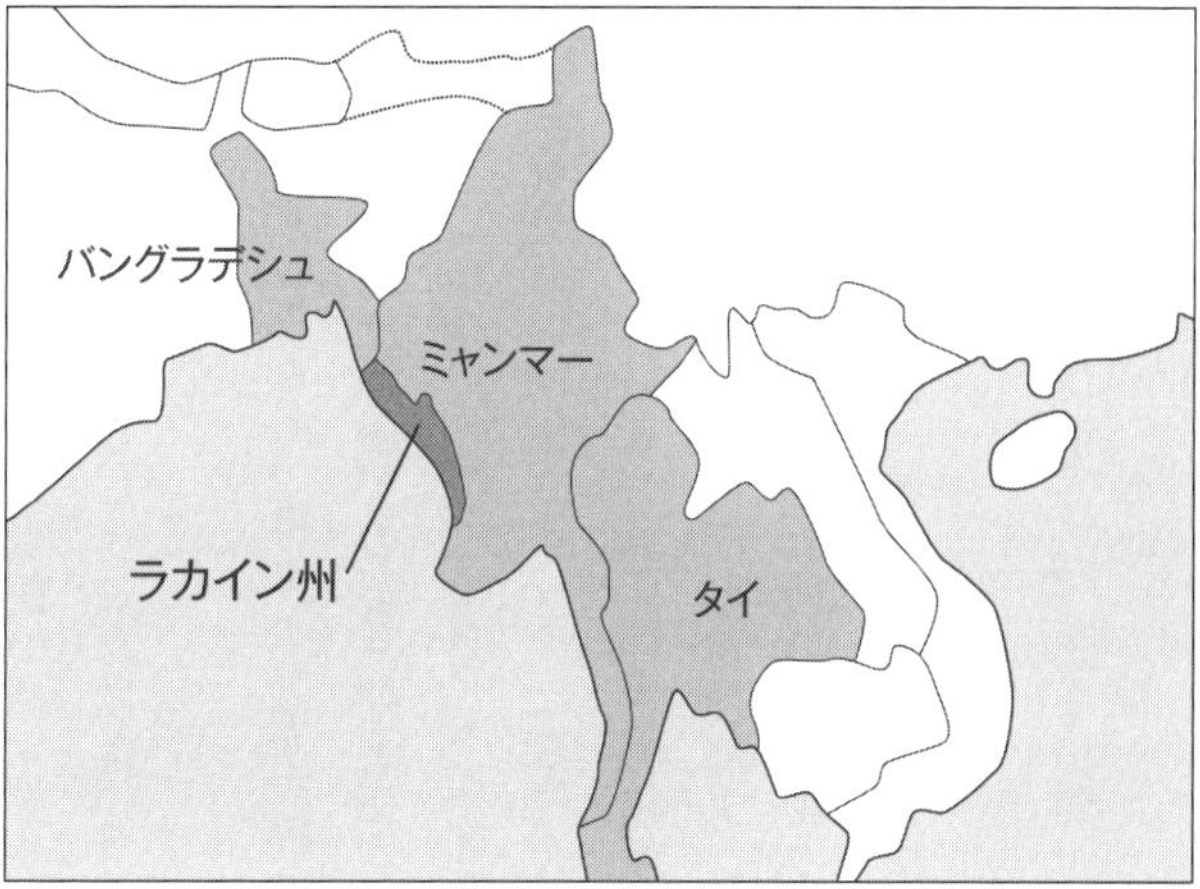

ロヒンギャの知識階層の主張はこうです。

「ロヒンギャは8世紀からラカインの地に住み続けている」

しかし、「ロヒンギャ」という呼称が登場する史料はほとんど存在しません。どれが最古の史料として適切なのか諸説あって、「ロヒンギャは8世紀からラカインの地に住み続けている」ことを示す確実な史料が残されていないのです。

ラカイン地方は、19世紀にイギリス植民地となりました。このとき、ベンガル地方（現在のバングラデシュ）から移民が流入し、ラカイン地方の北西部に住み着きました。これによって多数派の仏教徒（上座部仏教）との間に軋轢が生じます。

それからというもの、第二次世界大戦後には、1971年勃発の第三次印パ戦争（バングラデシュ独立戦争）の混乱期と相次いで、食料などを求める人々が東パキスタン（現在のバングラデシュ）からラカイン北西部に流入しました。

ではいったい「ロヒンギャ」なる民族集団は、いつ、どのようにして生まれたのか。

彼らを構成しているのは、15世紀に始まるアラカン王国時代のイスラーム教徒を起源とする人々、さらに先ほど述べたように19世紀以降のイギリス植民地時代の移民、第二次世界大戦直後の社会的混乱に乗じて流入した移民、1971年の第三次印パ戦争による社会的混乱に乗じて流入した移民から構成されると考えられています。

しかし、1950年ごろ、彼らが突如「ロヒンギャ」を名乗るようになった経緯はいまだにわかっていないのです。

1948年にイギリスからミャンマー（当時はビルマ）が独立した際、ミャンマー政府は、ロヒンギャをそれほど差別的には扱わなかったといいます。

しかし、1962年の軍事クーデターにより、政府軍の主導のもとで「ビルマ民族中心主義」に基づく中央集権的な社会主義体制（ビルマ式社会主義）が成立すると、ミャンマー政府のロヒンギャ差別が深刻化します。

こうした社会状況の変化に伴って、ロヒンギャ難民が発生します。特に国外流出が多かった1978年と1991年の難民数は20万人とも、25万人ともいわれています。直近の2017年8月以降、なんと74万5000人もの難民が発生しています。

また1982年には国籍法が改正され、「ロヒンギャをミャンマー土着の民族としないこと」が合法化されます。これを受けて「ロヒンギャ」を主張する限りは外国人と見なされるようになりました。

さらに2015年には、「ロヒンギャ」を名乗る人々の選挙権と被選挙権が剥奪されました。「外国人なのだから、当然、選挙権も被選挙権もない」というロジックです。

こうしてどんどん苦境に追い込まれているロヒンギャですが、彼らとしてはミャンマーから独立したいわけではないようです。あくまでも、「ロヒンギャ」という民族の存在をミャンマー政府に認めてもらった上で、ミャンマー国籍をもちたいというのが、彼らの要望のようです。

しかし、ミャンマー国内では、政府も国民の間でも、彼らを「民族」として認めておらず、「外国からの不法移民集団」という認識のようです。

ロヒンギャがミャンマーで差別される理由は3つ

それにしても、ロヒンギャは、なぜ差別的な扱いを受けているのでしょうか。

主な理由は3つです。

一つめは宗教問題です。ロヒンギャはイスラーム教徒ですが、ミャンマーは上座部仏教の国です。ミャンマー人は、キリスト教徒やヒンドゥー教徒に対する差別意識はなさそうなのに、イスラーム教徒にだけは嫌悪感を示すようです。

その理由は、まず、イスラーム教徒は出生率が高い傾向があるために、ミャンマーの人口構成でロヒンギャの割合が増してしまうという危機感があること。また、異教徒の女性がイスラーム教徒の男性と結婚すると、イスラームに改宗させられることがあるのも忌避感の一因かもしれません。

二つめは言語問題です。ロヒンギャの母国語であるロヒンギャ語はベンガル語の方言の一つであるため、彼らはミャンマーの公用語であるビルマ語を上手く話せません。ミャンマー人には、このことに対する嫌悪感もあると考えられます。

三つめは民族問題です。ミャンマー国内では、ロヒンギャはバングラデシュからの不法移民、外国人であると認識されています。

多くのミャンマー人にとってロヒンギャとは、いい加減な民族名称をでっち上げてミャンマー土着の民族を名乗っている人たちという認識なのです。

特にラカイン地方のミャンマー人が都市部へ季節労働者として働きにいっている間に、ロヒンギャによる土地の乗っ取りが行われたりしています。ミャンマー国民としては、「軒を貸して母屋を取られる」という想いでしょう。

2016年10月、バングラデシュとの国境近くの地域で、武装勢力による襲撃でミャンマーの警察官が死傷するという事件が発生しました。ミャンマー政府は、これをロヒンギャ武装グループによる犯行と断定し、ロヒンギャの集落を攻撃します。およそ7万4000人のロヒンギャが難民としてバングラデシュに逃れていきました。

2017年8月にも同じような事件が発生し、ミャンマー政府軍は「ロヒンギャ民族浄化」と揶揄されるほどの弾圧を加えました。このときは、実に74万5000人が難民となって国外へ流出しました。

近年、急激にロヒンギャ問題が顕在化したのは、イギリスの放送局BBCの報道がきっかけともいわれています。

現在のロヒンギャ問題の大きな一因は、イギリス植民地時代にロヒンギャがミャンマーに流入したことです。本来であれば、ミャンマー国民の怒りの矛先はイギリスに向かうはずですが、それをかわすために、問題点が「別な場所」にあることを喧伝しているようにも見えます。

ミャンマーにおいてもそうだというわけではありませんが、植民地を手放す際に少数民族に政権を与え、民族紛争を作り出しておいて去る。これはイギリスが植民地においても行ってきたことです。

イラクとアメリカ――中東とアメリカ、泥沼の歴史の源流

イラン・イラク戦争では手を組んだイラクとアメリカ

「アラブ人」とは、おそらく多くの日本人がざっくり捉えているような「中東の国々の人々」の総称ではありません。

アラブ人とは、アラビア語を公用語とし、国民のほとんどがイスラームを信仰する国の人々のこと。

これすらも実は確固たる定義ではないのですが、イラン人（ペルシャ語話者）、ト

ルコ人（トルコ語話者）、イスラエル人（ヘブライ語話者、宗教はユダヤ教）も一緒くたに「アラブ人」とすることはできません。

たしかに西アジアはアラブ人国家が大半を占めます。しかし、なかには別の民族的・文化的バックグラウンドをもつ人たちの国もあります。同じ地域だからといって、同じ文化圏であると乱暴に捉えていると、過去の歴史も現在の国際情勢も大きく見誤るという落とし穴に自らはまってしまいます。

そして、この認識があれば、なぜ、イランとイラクが反目しあっているのかも理解できます。

イランとイラクはともにイスラーム国家（ともにシーア派信者が多い）ですが、先ほど述べたように民族も言語も違います。イラク人はアラブ人ですが、イラン人はペルシャ人です。そこに地理学的な利害の対立が合わさって、両国は長年、骨肉の争いを繰り返してきたという歴史があるのです。

まず地図でイランとイラクの位置関係を確認しておきましょう。

【図3−21】イランとイラク

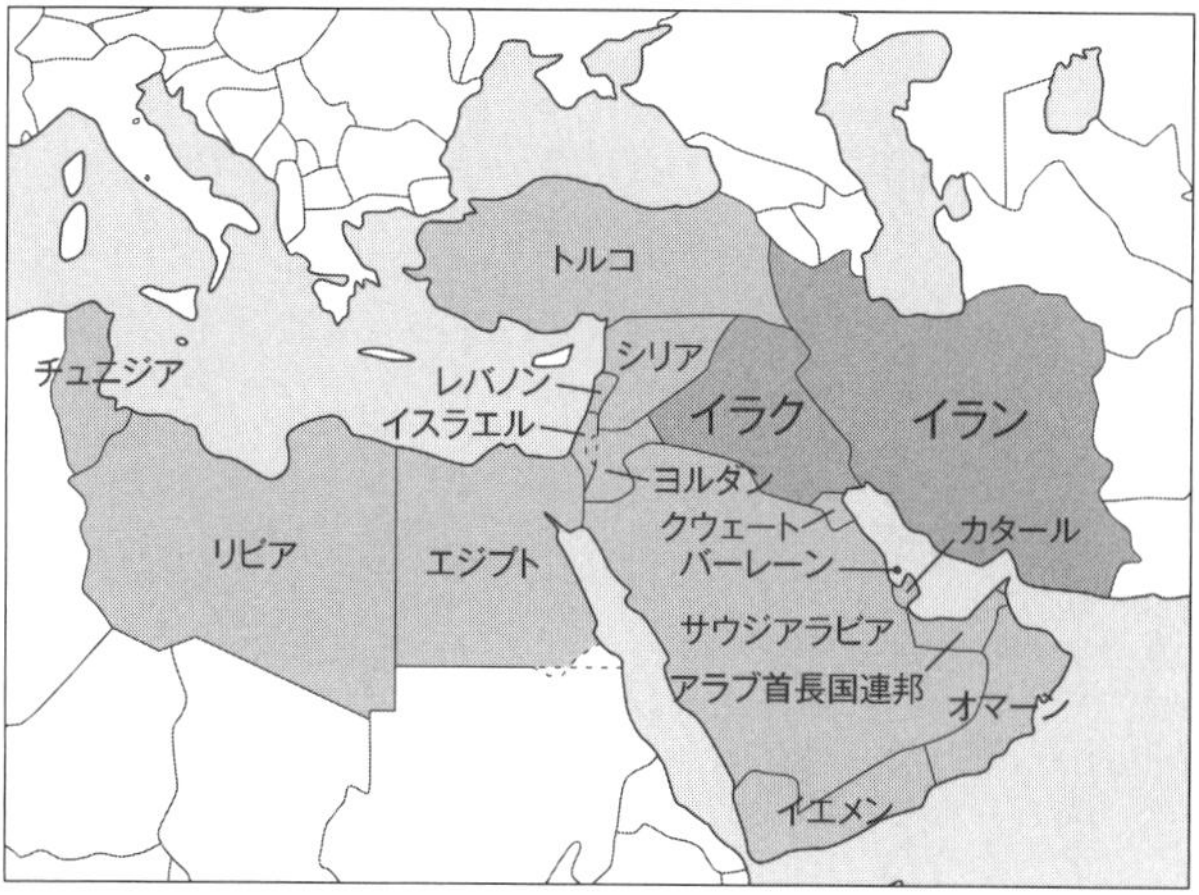

イランは古くからペルシャ帝国として栄え、20世紀に入ると西側諸国、特にアメリカ合衆国と緊密な関係を築きました。しかし、1979年のイラン革命により、国内の政治体制が大きく変わります。革命の結果、親米だったパフラヴィー2世が追放され、厳格なイスラーム教徒であるルーホッラー・ホメイニが指導者となりました。

このイラン革命により、国内外の政治的状況が一変し、親米国家から反米国家へと体制が転換します。これが後にイラン・イラク戦争の遠因の一つとなりました。

1980年、イラン、イラクの国境になっているシャットゥルアラブ川の使用権をめぐる衝突が起こります。というのも、この川は両国にとって農業や経済活動の重要拠点なのです。これが引き金となって、両国は全面戦争に突入。8年間に及ぶイラン・イラク戦争の始まりです。

1979年のイラン革命でイランが反米国家になっていたことから、アメリカ合衆国はサダム・フセイン政権のイラク支援に回り、武器供与や軍事情報の提供を行いました。

アメリカ合衆国にとって、中東地域の石油産業を掌握することは戦略的に重要であり、反米的なイランは邪魔な存在でした。そこでアメリカ合衆国はイラクを支援してイランに対して圧力をかけることで、その影響力を抑えようとしたわけです。

イラン・イラク戦争は、兵士や市民を含む何十万人もの犠牲者を出す悲惨な戦争となりました。1988年、国連の仲介により停戦に至りますが、その後もイランとイラクの緊張関係は続いています。

イラクvsアメリカ&多国籍軍——湾岸戦争はなぜ起こったのか

イラン・イラク戦争ではイラク側についたアメリカ合衆国でしたが、そのわずか2年後の1990年には湾岸戦争が勃発、今度はアメリカ合衆国とイラクが戦うこととなりました。

主な原因は、イラン・イラク戦争で生じたアメリカ合衆国などに対する軍事債務です。返済に窮したイラクが、石油利権を目当てに隣国クウェートに侵攻したのが、湾岸戦争の始まりでした。

イラクのクウェート侵攻を受け、アメリカ合衆国を中心とする多国籍軍が即座に結成され、1991年、クウェートからイラク軍を排除したことで湾岸戦争は終結しました。

この湾岸戦争については、3つほど触れておきたいトピックがあります。

まず1つめは「ナイラの証言」。これは「イラク軍がクウェートの病院で乳児を殺害した」という証言なのですが、実はアメリカ合衆国の世論喚起を目的とするプロパガンダ、つまり虚偽情報でした。このプロパガンダが流布されたことで世論が喚起されて湾岸戦争に勝利、これを受けて、ジョージ・ブッシュ大統領（第41代）のアメリカ国内の支持率は89％にまで上昇しました。狙いはみごと的中したわけです。

2つめは、日本の関与です。アメリカ合衆国の戦争に日本がどう関わるのかは、長年の課題でした。湾岸戦争では、日本は軍事費の提供という形で関与。クウェート政府からは感謝されて石油の無償提供を受けましたが、アメリカ合衆国からは消極的であると非難されました。

これが大きなきっかけとなり、1992年、自衛隊の海外での活動を可能にするPKO法が成立します。以後、自衛隊は海外の紛争地帯などの平和維持活動に積極的に関わるようになりました。

そして3つめは、湾岸戦争後のアメリカ大統領選挙です。2期目を目指したブッシュ大統領はビル・クリントンに敗れ、政権交代が起こりました。

湾岸戦争後、アメリカ国内では経済の停滞が続いており、多くのアメリカ人が失業や不安定な経済状況に苦しんでいました。そんななか、ブッシュ大統領は「増税しない」という公約を守れませんでした。

これが選挙の主要な焦点となりました。クリントンは、経済改革と雇用創出を約束する選挙キャンペーンを展開し、多くの有権者の支持を集めました。

また、ブッシュ大統領は湾岸戦争後のイスラエル・パレスチナ問題に対して、イスラエル政府に対してより厳しい態度を取ることがありました。これにより、一部のユダヤ人コミュニティーからの支持を失った可能性があります。

アメリカ合衆国とイラクの戦いは湾岸戦争だけで終わりませんでした。

2001年9月のアメリカ同時多発テロ、アフガニスタンへのアメリカの軍事行動、タリバン政権崩壊に続く2003年、イラク戦争が勃発します。

アメリカ合衆国はイラン、イラク、北朝鮮を「悪の枢軸（Axis of evil）」と糾弾し、特にイラクに関しては「大量破壊兵器をひそかに保有している！」と主張。これを理由にイラクに対して軍事行動に出ますが、結局、大量破壊兵器は発見されませんでした。

そのため、イスラエルの安全保障や中東の石油資源などさまざま思惑から、アメリカ合衆国が、「イラクが大量破壊兵器を保有している！」との疑惑を半ばでっち上げ、イラクに対する軍事行動の正当性をもたせたのではないかともいわれています。大義名分はいかようにでも作りあげられるものです。

ともあれ、このイラク戦争で、長年、イラクに君臨してきたサダム・フセイン政権が倒されましたが、その後もイラクでは政治的な混乱が続きました。

近々完成するかに思われた「対イラン包囲網」

２０２１年11月、イスラエルとヨルダンが水・エネルギー分野での協力において合意したことは先に触れたとおりですが、これを仲介したのはアラブ首長国連邦（ＵＡＥ）でした。

ユダヤ人国家であるイスラエルと、アラブ人国家であるＵＡＥが接触していることにも驚きですが、結局のところ、アメリカ合衆国とイランとの関係が背景にあるように思えます。

１９７９年のイラン革命によってアメリカ合衆国とイランの国交が断絶し、２０１３年にイランのハサン・ロウハニ大統領とアメリカ合衆国のバラク・オバマ大統領の電話会談まで両国首脳による会合は行われませんでした。

アメリカ合衆国とイランの関係が改善し、経済交流が拡大するかに思われましたが、結局はトランプ大統領の誕生によって水泡に帰することとなりました。

先に述べたとおり、１９８０年のイラン・イラク戦争で、サウジアラビアは同じアラブ人国家であるイラクを支援しました。アメリカ合衆国も「敵の敵は味方」とばかりにイラクを支援します。

そしてイスラエルとヨルダンの協力合意がなされた２０２１年11月から遡ること１年3カ月前の２０２０年8月13日、仲介役だったＵＡＥはイスラエルと国交正常化を実現しています。「アブラハム合意」です。

こうなると、西アジアのカギとして立ち現れてくるのがサウジアラビアです。サウジアラビアとイスラエルの国交正常化を実現すべく動くアメリカ合衆国に対して、サウジアラビアは「安全保障の確約」「民政用核開発の支援」を求めているようです。

というのも、やはりイランの存在が大きいと考えられます。

イランは核開発を進めているだけでなく、ロシアへの軍事支援も行っていることから、サウジアラビアとイスラエルの国交正常化は「対イラン包囲網」には必要不可欠な状況となっていると見ていいでしょう。

ただし、それによりサウジアラビアとイランとの対立がより鮮明になりかねないわけですから、他のアラブ人国家からも懸念の声が上がっていることは確かなようです。

一方、サウジアラビアは、これまでの石油産業だけでは、世界に影響力を持ち続ける国家としての存続は難しいと考えている節があります。

観光業などを発展させ、経済の多角化を目指そうとしているのは、その証左でしょう。2020年1月には、サウジアラビアを訪問した安倍晋三首相（当時）をムハンマド・ビン・サルマーン王太子が夕食会を開いて歓迎するなどしています。

サウジアラビアの新たなるビジネスの発展を考えれば、イスラエルとの安全保障関係の構築は必須といえますし、イスラエルとの技術協力なども喉から手が出るほど欲しいことでしょう。

また、アメリカ合衆国としては、サウジアラビアとイスラエルの国交樹立の仲介役としての名声を勝ち取ることができます。これは、中東外交でなかなか成果を上げられていないバイデン大統領にとっては、国民にアピールできる実績をつくるまたとないチャンスといえます。

何より、サウジアラビアにはメッカとメディナという二大聖地が存在するため、サウジアラビアとイスラエルの国交樹立が実現すれば、他のアラブ人国家にも安心感をもたらすことになります。西アジア諸国での「対イラン包囲網」はより強固なものとなるでしょう。

その一方で、これをよしとしない勢力もあります。パレスチナです。「パレスチナ」

【図3−22】対イラン包囲網

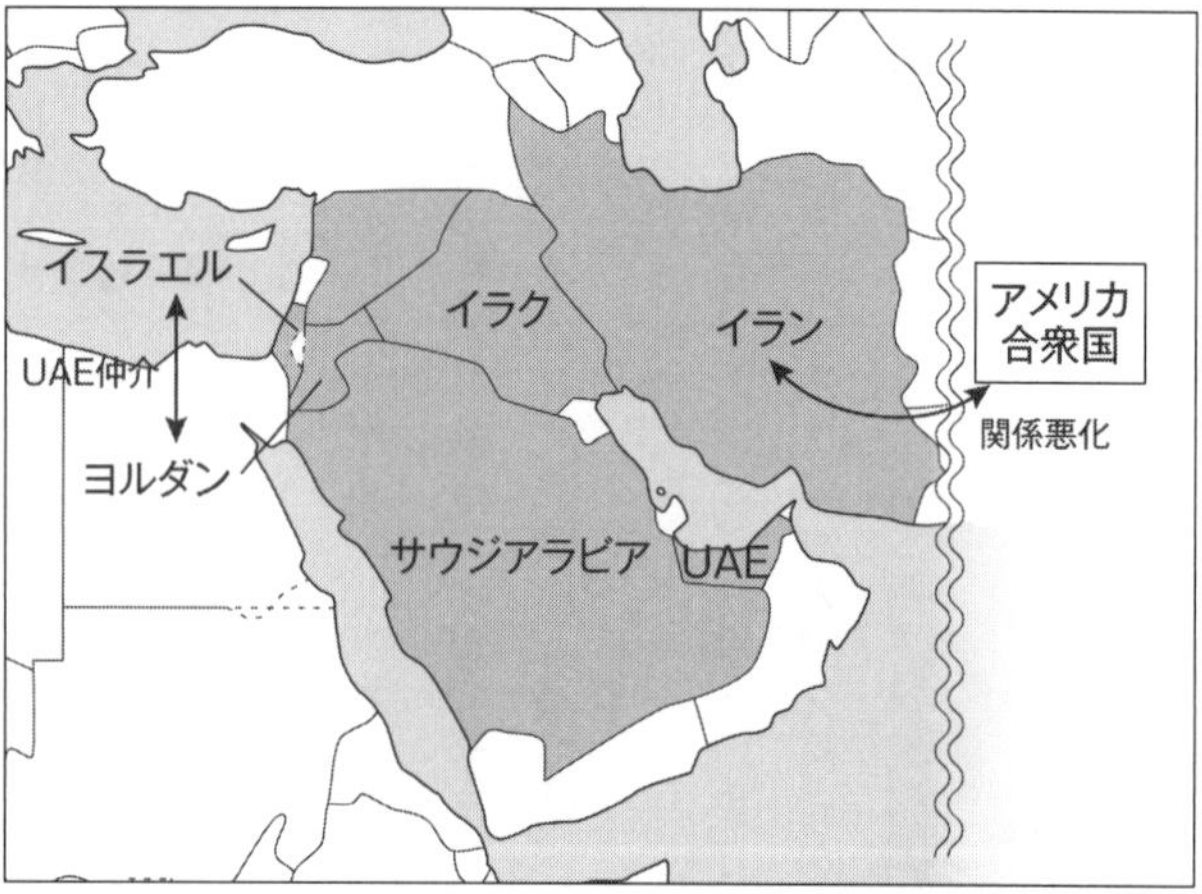

と聞けば「パレスチナ地域」と認識しがちですが、実は138の国連加盟国が「パレスチナ国」を国家として認めています（2021年時点。日本政府は認めていません）。

つまり、サウジアラビアとイスラエルの国交が樹立されれば、パレスチナ国の完全なる独立国家としての行く末が絶たれてしまう可能性もあります。この状況で、サウジアラビアがイスラエルと国交樹立を目指すのは容易ではないでしょう。

仲介役になりうるアメリカ合衆国もまた一枚岩ではありません。サウジアラビアに対する支援が、サウジアラビアとイランの軍拡競争を生成、増幅させるのではないかという懸念が国内では広がっているようなのです。

そんなこんなで「対イラン包囲網」はどうなるか、はてさてイランの命運やいかに、というところに起こったのが、サウジアラビアとイランの外交関係回復でした。詳しくは後述しますが、ひと言でいえば、サウジアラビア王太子に1本（どころか2本も3本も）取られたという顛末です。

したたか&しなやかに立ち回るサウジアラビア王太子

イランとサウジアラビアは、2016年、突如として国交を断絶しました。同年1月2日、サウジアラビアにおいてイスラーム・シーア派の高位聖職者ニムル師の死刑が執行されたことを受けて、イランで在サウジアラビア大使館を襲撃する事件が発生、国交断絶へと進展したという経緯です。

それが2023年3月10日、中国の仲介のもと、サウジアラビアとイランが外交関係を回復させることに合意したのです。

アメリカ合衆国に安全保障を求める一方で、イランとの外交関係を回復させる。これはサウジアラビアの「二枚舌外交」なのではないかとすら思えてきます。個人的には、サウジアラビアが「稼げるときに稼げるだけ稼いでおこう！」という方針を示しているように見えます。

現在のサウジアラビア国王は、サルマーン・ビン・アブドゥルアズィーズですが、実質的な指導者は、息子のムハンマド・ビン・サルマーン王太子です。

サウジアラビアとイランとの外交関係回復には「西アジア地域の政情安定」につながるという大義名分がありました。いくらアメリカ合衆国が「対イラン包囲網」の強化を目指しているとはいえ、非難する理由は作れません。

もちろん、サウジアラビアの対中原油輸出が増加傾向にあることを考えれば、仲介役を果たした中国との関係強化へつながります。ロシアによるウクライナ侵略以降、エネルギー価格の高騰が続いていて、やはり「稼げるときに稼げるだけ稼いでおこう！」と考えるＯＰＥＣプラスは減産の意向を示しました。

２０２２年10月に行われた減産は、アメリカ合衆国で中間選挙が控えていたからこそのことであり、アメリカ合衆国というよりはバイデン大統領に冷や水を浴びせることが目的だったように思えます。しかし、今回はまさしく「最後の石油ブーム」を演出する意図があるように見えるのです。

やはりサウジアラビアは、石油産業への依存度を抑えるために経済の多角化を模索しているのでしょう。その証拠の一つとして、サウジアラビア国営航空会社リヤドエアの設立を発表しています。

これによってサウジアラビアとボーイング社との間で、既存の航空会社の分もあわせて３７０億ドル分の民間航空機の購入契約が交わされるともいわれています。もちろんアメリカ合衆国にとっていい話ですし、アメリカ合衆国への影響力を維持したいサウジアラビアの狙いも見え隠れします。

したたかといえば、ムハンマド・ビン・サルマーン王太子は、ロシアによるウクライナ侵略すらも好機と捉えたと見えます。彼の動きを俯瞰的に見れば、きっと誰の目にもそう映るでしょう。

ロシアとの関係を密にし、イランとの外交関係を回復させることでOPECプラスのエネルギー支配力を維持し、エネルギー価格の高騰を好機と捉えて対中原油輸出を拡大させました。

一方で、「イランとの外交関係の回復は西アジア地域の政情安定につながる」という大義名分を作り出して、アメリカ合衆国からの支援を要求し、イスラエルとの関係改善に向けて動き出しました。

またウクライナに対しては4億ドルの人道支援を発表し、さらにロシアの外務大臣との会談で戦争終結の仲介を申し出ています。

おそらくサウジアラビアにも、ムハンマド・ビン・サルマーン王太子にも、そもそも「果たして我々はアメリカにつくべきか？　中露につくべきか？」という二元論的な考えはないのでしょう。したたかに、そしてしなやかに外交関係を構築しているように思えます。それもこれも、国土に眠る原油という強大な資源を抱えているからにほかなりません。

第4章

現代史の「経済」を地理学で考える

サンノゼ——世界一のイノベーション都市になったのは「たまたま」ではない

北部の衰退と引き換えに、南部が台頭

サンノゼはアメリカ合衆国カリフォルニア州にある都市です。それよりも、ハイテク産業が集積し、イノベーションが盛んなシリコンバレーの中心都市、といったほうがピンと来る方も多いかもしれません。

シリコンバレーは、スタンフォード大学を中心とした高等教育機関や、そこから生まれた技術革新を活用するスタートアップ企業が集まる最先端の産業都市として成長しました。その後、半導体産業の発展を牽引し、新興のＩＴ企業やインターネット企業が続々と誕生しました。サンノゼは、そのシリコンバレーの中心都市として、ハイテク産業やイノベーションを引き寄せました。

それにしても、なぜサンノゼだったのでしょうか？

実はそこにも、「たまたま」とはいえない地理的必然性が隠れているのです。

１９７３年に起こった第一次オイルショックは、世界中でエネルギー資源の重要性が再認識されるきっかけとなりました。

アメリカ合衆国も例外ではなく、石油に依存する従来の産業構造から、よりエネルギー効率の高い産業へのシフトが求められました。この方針転換がハイテク産業の台頭を促し、新興企業がサンノゼに集まる一つのきっかけとなったと考えられます。

これにはアメリカ北部の工業地帯の衰退による国際競争力の低下も関係していました。原因は、戦後復興を経て日本や西ドイツ（当時）が工業製品で国際競争力を高めてきたこと、すでに述べたエネルギーコストの高騰、さらには強い労働組合の影響による人件費の上昇、機械設備の老朽化による生産性の低下などでした。

こうした複合的な理由から、従来の産業構造の転換を求められた時代でした。これまでアメリカ合衆国のお家芸だった工業製品に代わって、効率的で革新的なハイテク産業が盛り上がり、北緯37度以南のサンベルト地帯が成長していきます。その一つがサンノゼでした。

しかし、これらの産業構造転換の理由は、「なぜサンノゼでハイテク産業が盛り上がったのか?」という問いに答えてはいません。というわけで、ここからが本題です。

「過ごしやすい気候」「文化の多様性」がシリコンバレーをつくった

サンノゼはカリフォルニア州、つまり南部の温暖な地域に位置します。温暖地は寒冷地に比べてエネルギー消費量が少ないため、オイルショック後の省エネ指向に合致しました。寒冷地ほど電気代が高い傾向があります。

そして、南部には労働組合の組織率が低いという特徴もありました。またヒスパニックや黒人が多く居住する地域でもあり、決して褒められた点ではないのですが、総じて人件費が安かったといえます。

さらに、広大で安価な土地があることや、移民法の改正によりアジア系移民が労働者として南部に吸収されたこと、これらも工場進出の魅力の一つとなりました。

【図4−1】カリフォルニア州のサンノゼ

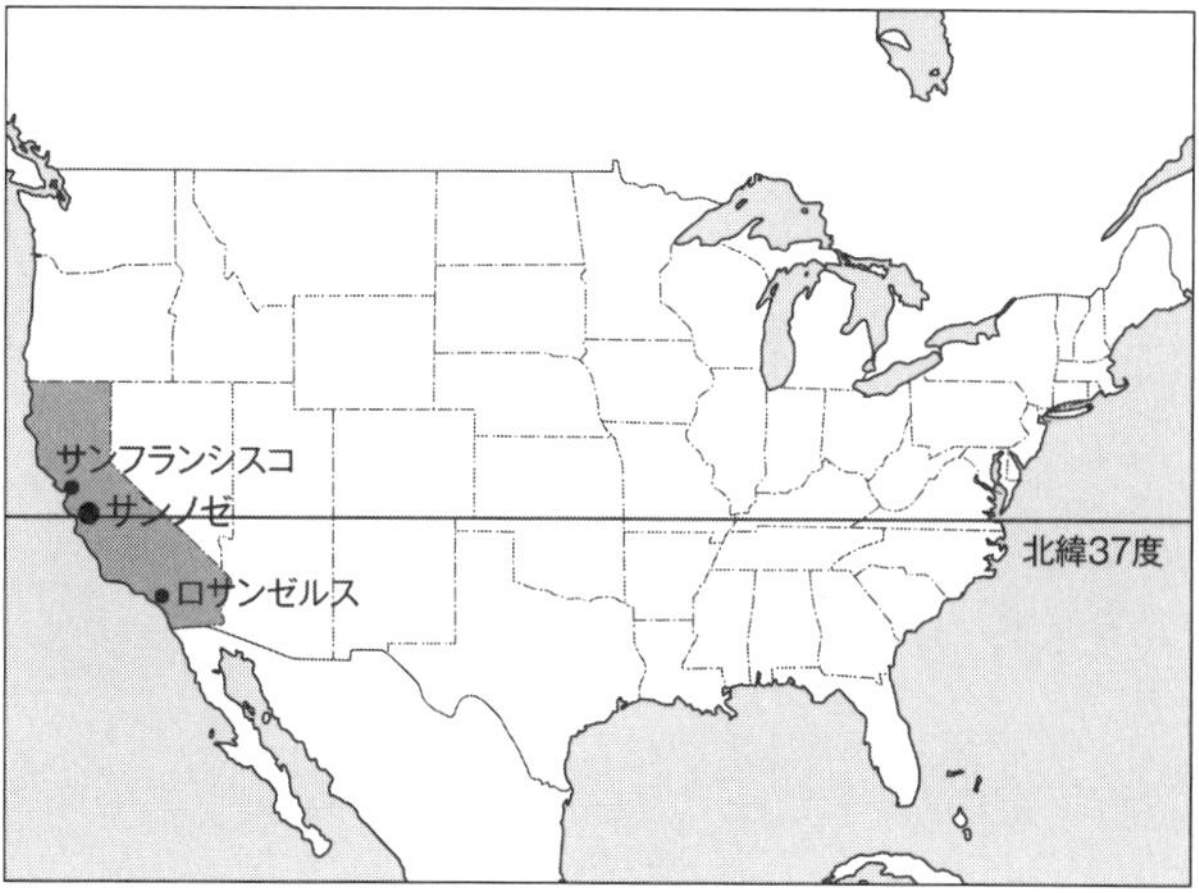

新たな技術や製品、イノベーションとは、異なるバックグラウンドを持つ人々がともに働き、アイデアを出し合うなかでこそ生まれやすいものです。

ここで、「なぜ南部には黒人やヒスパニックが多いの？」と思ったかもしれません。

まず南部に黒人が多いのは、かつて同地域で綿花とサトウキビの栽培が盛んだったからです。綿花栽培にもサトウキビ栽培にも大量の労働力が必要であり、かつてアフリカ大陸から連れて

【図4−2】カリフォルニア州の人種構成（2020）

白人	71.1%
アジア系	15.9%
黒人	6.5%
先住民	1.7%
ヒスパニック	40.2%

（出典）『データブック　オブ・ザ・ワールド2023』（二宮書店）

こられた黒人の多くは南部で農業奴隷となっていました。そのため、南部では彼らの子孫が多く生活しています。

ヒスパニックが多いのは、地図を見れば想像がつくでしょう。メキシコなどスペイン語圏からアメリカ合衆国を目指す人は、よりアクセスのいい南部にたどり着くからです。

話を戻しましょう。なぜ、ハイテク産業はサンノゼを選好したのか。何より特筆すべき理由

【図4−3】カリフォルニア州の気候条件

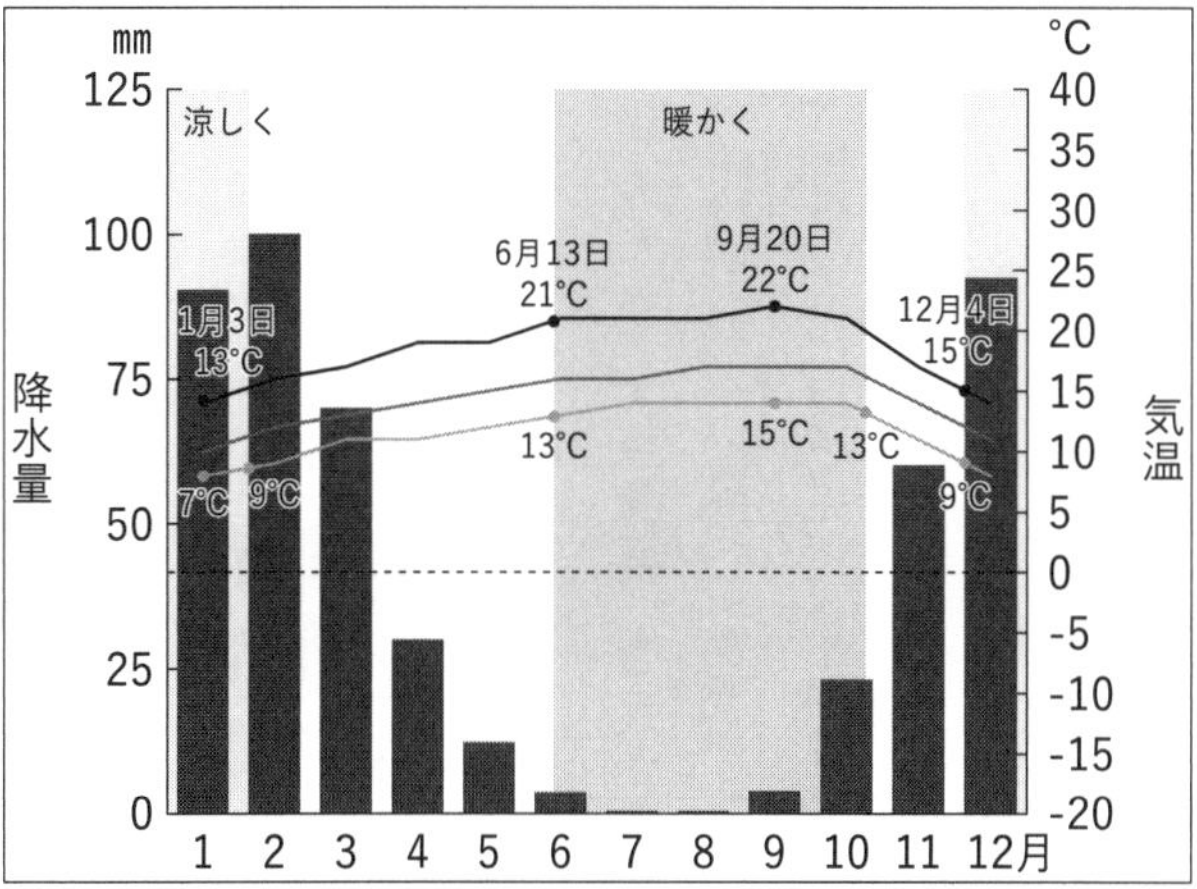

は、カリフォルニア州の気候です。

寒すぎる時期も暑すぎる時期もなく、年間を通じて非常に人間にとって過ごしやすい地中海性気候。この快適な気候環境が労働者や起業家を惹き付けたといえます。そのなかに、たまたま優秀な人材がいたということでしょう。そして優秀な人材が、また別の優秀な人材を引き寄せた。

こうしてサンノゼは多種多様

な人々が集まる場所となり、ハイテク、イノベーションの中心地となりました。

ブラジル――中国14億人の大豆需要が新たな経済成長をもたらすか？

中国で増大する「大豆需要」を支える国

近年、中国では「大豆」の需要が急上昇しています。もともと大豆がよく使われる食文化ではありますが、そこに人口増加や経済発展が重なり、大豆需要のさらなる増大が見られました。

それは人間が食べる分だけではありません。中国の経済発展は、中国人の食生活にも変化をもたらしました。近年、中国では肉類や乳製品の消費が増加しており、特に畜産の飼料としての大豆需要が上昇しているのです。また大豆は、中国料理には欠かせない植物性油脂の原料の一つでもあります。

しかし、このように多方面で高まる大豆需要に応えるだけの大豆生産力は、中国にはありません。需要に生産が追いついていないのです。となれば当然、輸入に頼ることになります。それがかなりの規模にまで膨れ上がっており、中国の大豆生産量は世界4位であるにもかかわらず、そのおよそ5倍もの量を輸入しています。

では中国の大豆需要を支えている国はどこかというと、それはブラジルです。あまり知られていないようですが、ブラジルは、２０１９年よりアメリカ合衆国を抜いて世界最大の大豆生産国、そして大豆輸出国となりました。そのブラジルの新たな得意先になっているのが中国、というわけです。

現に、中国への輸出増を見込んで、ブラジルでは大豆農家を支援する農業政策が採られているほどです。中国は14億もの人口を抱える国ですから、この巨大市場を取り込もうとブラジル政府が色めき立つのも不思議ではありません。

【図4−4】大豆の生産量ランキング

（出典）USDA発表の数字をもとに作製

「大豆長者」になるのと引き換えに、ブラジルが支払う代償

ただし、それには大きな代償を払う可能性があります。というのも、ブラジルでの大豆栽培地の拡大は、熱帯雨林の破壊や先住民との土地問題を引き起こしているからです。

農地開拓のために熱帯雨林が伐採されると、二酸化炭素の排出量が増加する、生物多様性が破壊されるなど、地球環境への悪影響が増大する懸念があります。

先住民との土地問題も顕在化しました。大豆栽培のための農地拡大が進むことは、先住民が古来、守ってきた土地の侵害にもつながりかねません。

ここでブラジルの空中写真をタイムラプスで見てみると、どんどん森林が切り開かれている地域と、まったく変化が起こらず真緑のままの地域があることがわかります。ブラジル政府と先住民との間には、「古来、先住民が暮らしてきた土地は不可侵とすること」という取り決めが憲法で規定されています。

【図4－5】ブラジルの俯瞰図の変化

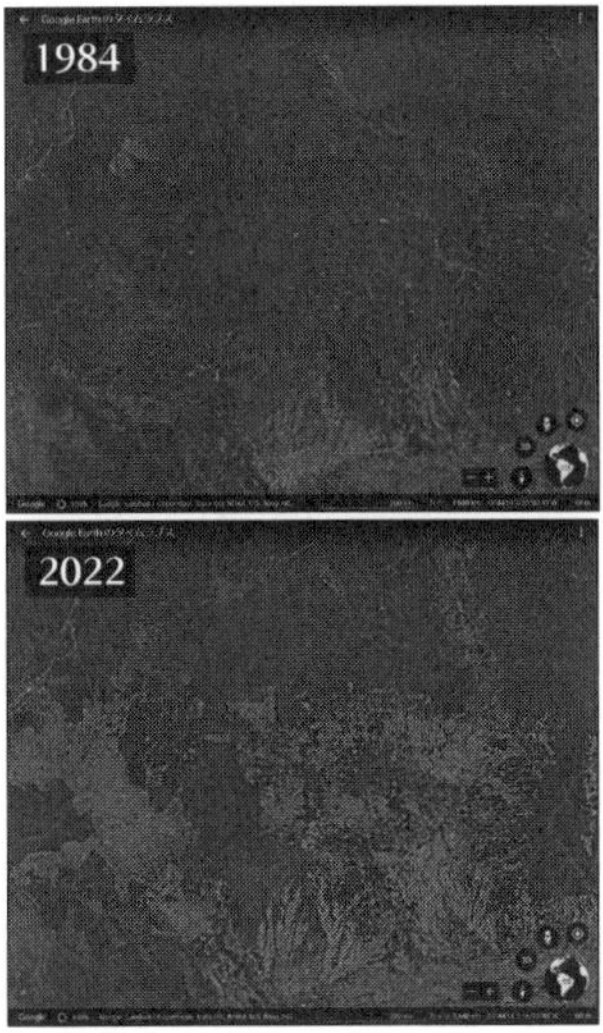

（出典）Google Earth

しかし中国の巨大な大豆需要を取り込みたいブラジル政府が、いつ、法解釈によって保護区を侵そうとするかわかりません。すでに内陸部では、先住民の立ち退きなども生じているようです。

経済の効率性を求めて土地を活用したい政府。祖先から受け継いできた土地を、そのままの形で守っていきたい先住民。土地をめぐる対立は他国同士だけでなく、一国内の利害相反者の間でも、いまだに起こりうるということがよくわかる事例です。

フィジー——サトウキビ生産がもたらした民族問題

フィジーは、かつて「イギリスの砂糖供給地」だった

料理に欠かせない砂糖は、ブラジル、インド、中国、タイ、アメリカ合衆国などが生産量の上位を占めます。これらの国は他の農産物の生産量・輸出量も多いのですが、砂糖の生産国のなかには、砂糖が国内経済を支える重要輸出品目になっている国があります。

【図4−6】フィジー共和国

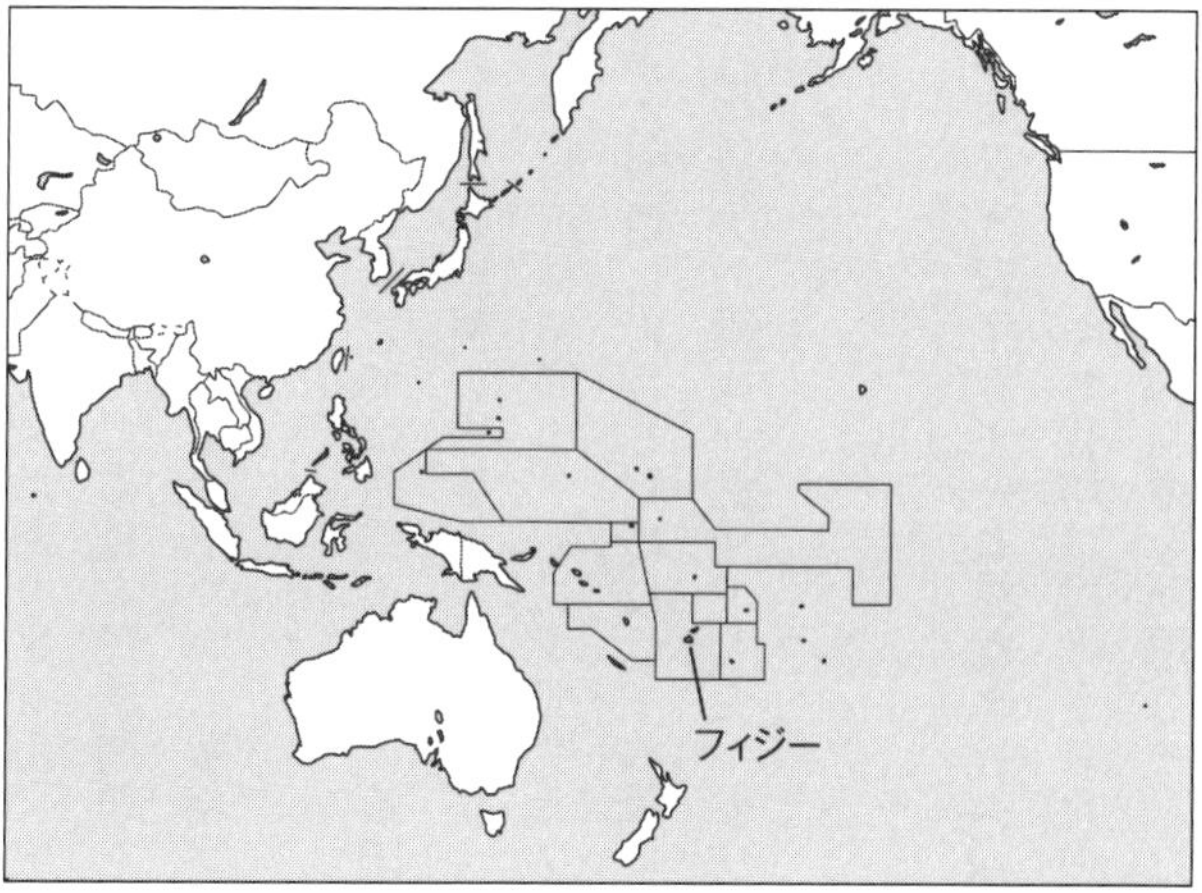

それは太平洋に浮かぶ小さな島国、フィジー共和国です。まず図４−６で位置を確認しておきましょう。

年間を通じて温暖、常夏であり降水量が多い。火山活動によって形成された島々の肥沃な火山性土壌。これらの条件が揃っているフィジーは、サトウキビの栽培に適しています。

ただし、これだけの情報から、フィジーを「サトウキビを栽培し、砂糖を生産しているのどかな国」と捉えたいのではありません。実は「サトウキビ栽培に適している」ということが、フィジー国内に複雑な民族問題をもたらす一因にもなってきたのです。

そもそもフィジーでサトウキビ栽培が始まったのは1879年、イギリスの植民地時代でのことでした。

当時、イギリスでは産業革命による国内経済の発展にともない、甘いお菓子や紅茶に欠かせない砂糖の需要が急激に高まっていました。その需要を満たすために、イギリスは熱帯雨林気候のフィジーでサトウキビを栽培させるようにしたのです。

高まる需要に応えるためには、大量にサトウキビを栽培しなくてはいけません。それには労働力の投入が必要でした。要するにフィジー人だけでは労働力が不足してしまったわけです。

「みんなフィジー人！」と見なされたが、国外へ流出するインド系フィジー人

そこでサトウキビ栽培に投入されたのが、インド人でした。イギリスは「ギルミット」という労働契約制度を利用しました。当時、サトウキビ栽培に従事するためにフィジーに移住したインド人は、実に6万3000人を数えるといわれています。

現在のフィジーの人口構成は、先住のフィジー人が約60％、インド系フィジー人が約40％になっています。インド系住民は、もちろん、かつて労働力として投入されたインド人の末裔にほかなりません。

しかしフィジー人とインド系住民が平和に共存共栄してきたかというと、残念ながら、そうではないのです。

フィジーに渡ったインド人の多くは、主にサトウキビ産業に携わることで経済力をつけました。フィジー人たちはおもしろくありません。他方、政治面においては、ずっとフィジー系優遇策が採られており、インド系住民は自分たちの権利を主張してきました。実際に、およそ40％を占めるインド系住民ですが、彼らが所有している土地は国土面積のたった2％しかありません。

こうした事情が、フィジー人とインド系住民の間に緊張を生じさせることにつながったのです。過去には数度にわたり、インド系住民によるクーデター未遂も起こっています。

そこでフィジーでは教育や労働機会の均等化や格差解消など民族間の融和を目指す政策が採られるようになりました。そのかいあってか、近年では、フィジー人とインド系住民の関係は徐々に改善されつつあるようです。2013年制定の新憲法で、出自の別に関係なく、すべてが「フィジー国民」として扱われるようになりました。

しかし、インド系住民のなかには、専門知識を身につけ、旧イギリス領であるため公用語が英語である強みを生かして、オーストラリアやニュージーランド、アメリカ合衆国、カナダといった英語圏へ移住する人が増加しています。現在、インド系住民の数はおよそ40%ですが、かつて、インド系住民は50%を超えるほど存在していました。そのため、フィジーのサトウキビ産業は縮小傾向にあり、FAO統計によると生産量は過去30年間でおよそ60%縮小したといいます。

チュニジア――「ジャスミン革命」のきっかけは「食糧不安」だった？

今、小麦をめぐって起こっていること

世界で取り引きされている食糧品目は数あれども、最大規模の流通量を誇る穀物は間違いなく小麦です。その小麦をめぐって、ここ2年ほどで世界の食糧事情が激変しています。

次ページの図4－7は小麦生産量の国別ランキングです。

いったい小麦をめぐって何が起こっているのか？　すでにニュースでも数多く報じられてきていることなので、もうあらかた理解している人も多いでしょう。それに次の事実を考え合わせると、いっそう明確になると思います。

【図4−7】小麦の生産量ランキング

順位	国名	2021年
1	中国	136,946,000
2	インド	109,590,000
3	**ロシア**	76,057,258
4	米国	44,790,360
5	フランス	36,559,450
6	**ウクライナ**	32,183,300
7	オーストラリア	31,922,555
8	**パキスタン**	27,464,081
9	カナダ	22,296,100
10	ドイツ	21,459,200

（単位：トン）

（出典）FAO統計（2021）

２０２２年２月24日、ロシアによるウクライナ侵略が始まりました。

２０２２年９月、パキスタンを大規模な洪水が襲いました。

ここで再度、図４－７を見ると、ロシアは３位、ウクライナは６位、パキスタンは８位に入っています。

ロシアとウクライナは寒冷な国ではありますが、生産の中心は冬小麦（秋に種まきをして、越冬して初夏に収穫する小麦）です。

一方、パキスタンでは10月に小麦の種まきをします。

そしてロシアによるウクライナ侵略の開始は２０２２年2月、パキスタンの洪水被害は２０２２年9月。つまり、ウクライナとパキスタンの一部の地域では２０２２年の小麦の種まきがほとんどできなかったと考えられるわけです。ウクライナ情勢は一向に終わりが見えないため、おそらくウクライナは、２０２３年の作付けを２０２１年以前の水準に戻すことは難しいでしょう。


中国やインドのような国内需要の大きい国を除けば、小麦生産国の多くは小麦輸出国でもあります。ウクライナ、パキスタンという世界的な小麦生産国で小麦の種まきができなかったとなると、世界の市場への小麦供給量が減り、需要と供給のバランスで小麦価格が高騰します。これは容易に予想できましたし、実際、そのとおりになっています。

幸い日本の小麦輸入の相手国はアメリカ合衆国、カナダ、オーストラリアなので、ロシアによるウクライナ侵略とパキスタンの洪水によって、即座に小麦の供給が断たれてしまうといった事態にはなりませんでした。

ただし、今までロシアやウクライナ、パキスタンから小麦を輸入していた国は、これら以外の国から小麦を輸入しようとします。すると需給バランスが崩れますから、やはり価格上昇は免れなかったというわけです。そもそも、穀物取引の世界的中心地はアメリカ合衆国のシカゴであり、ここで先物取引が発展していますので、先述のような有事が先物相場を高めたことは否めません。そして、それに呼応する形で日本においても小麦価格が上がっていきました。

「食うや食わず」の不安がチュニジアの民主化運動につながった

「ジャスミン革命」は、2010年から2011年にかけてチュニジアで盛り上がった民主化運動のことです。そこから広まった「アラブの春」にも、実は「小麦」が絡んでいたことをご存じでしょうか。

ロシアの小麦輸出、最大のお得意様はエジプトです。エジプトではほとんど小麦が生産されていない割に、「アエーシ」というパンの一種や、国民食ともいわれる「コ

【図4−8】ロシアの小麦輸送ルート

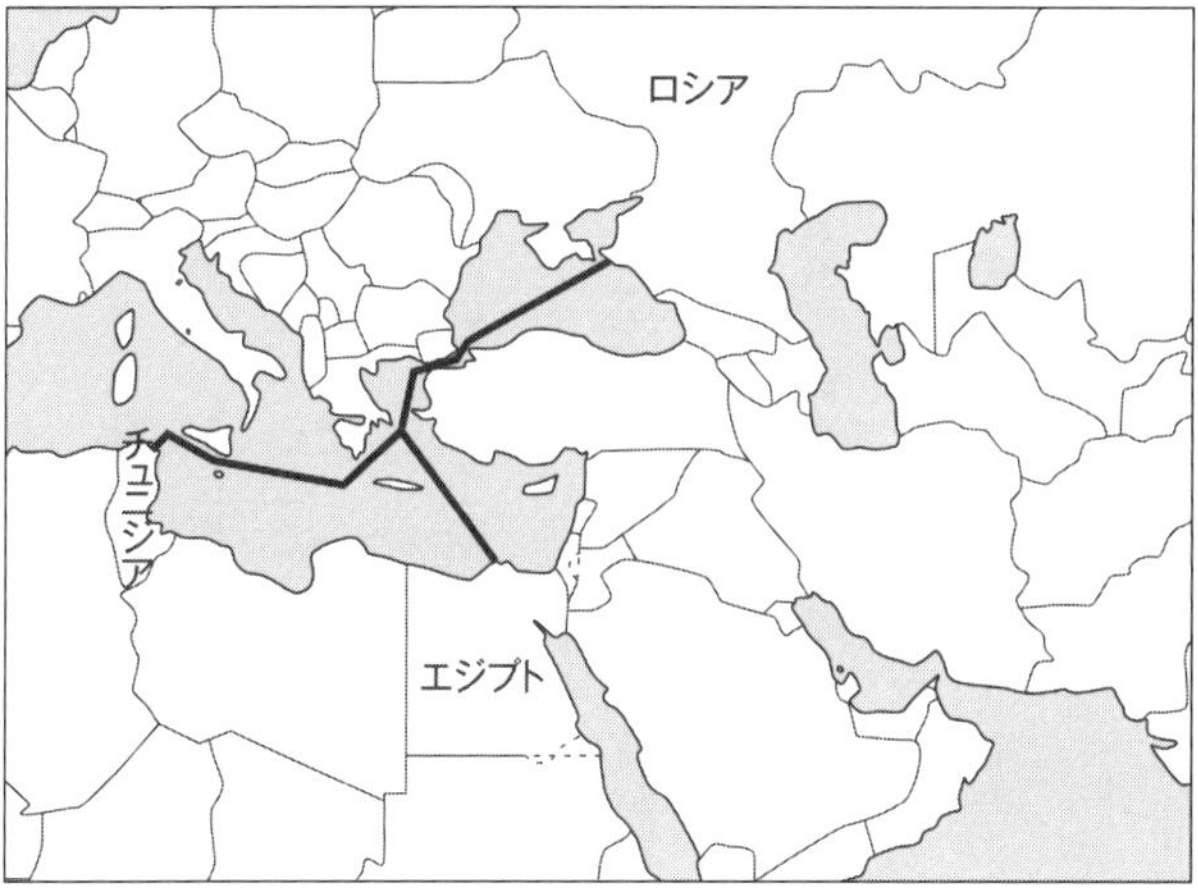

シャリ」など小麦を使った料理がよく食べられています。1億人の口に入る小麦を、エジプトは主にロシアとウクライナから調達してきました。エジプトはアフリカ最大の小麦輸入国であり、その需要を取り込んでいるのがロシアとウクライナの両国というわけです。

他方、市場規模はエジプトにはるか及ばないものの、エジプトに並んでロシアの小麦に依存していた中東の国があります。

それがチュニジアです。

ところが2010年、ロシアからの小麦供給に異変が起こります。

2010年のロシアは異常な高温と干ばつに見舞われました。その結果、小麦の収穫量が大幅に減少。そこでロシア政府は、国内の食糧需給を安定させるために小麦の輸出を制限しました。

これにより世界的に小麦価格が高騰し、ロシアからの輸入に依存していた国々の食糧価格が上昇しました。これには、チュニジアも例外ではありませんでした。

チュニジアでは、食糧価格の高騰が社会不安を煽りました。それが、特に若者の失業率の高さや政治的抑圧など従来の複数の問題と相まって、ジャスミン革命へとつながった、つまり遠因の一つとなったといわれています。

ジャスミン革命は、チュニジアで独裁政権の終焉という大きな政変をもたらし、さらに「アラブの春」へと発展しました。

ジャスミン革命は、ブアジジという青年の焼身自殺というショッキングな出来事とともに日本に伝えられました。それもあって「ジャスミン革命」「アラブの春」というと、中東の国々の青年たちが打倒・独裁政権と民主化という志のもとに蜂起した、という印象が強いのではないでしょうか。

それは事実の一面ではありますが、すべてとはいえません。

ロシアからの小麦供給が減ったことで食べ物の値段が上がり、食うや食わずになる不安が生じたのです。食糧価格の高騰に国民が怒ってデモが発生する、２０１９年にスーダンで起きた政変も同様です。「食わねば生きられない」という生物としての根源的欲求が、民主化運動の引き金になったというのもまた一つの事実なのです。

ASEAN──
「反共」で結ばれた経済同盟の現在

東南アジアで唯一、植民地支配を受けていないタイの地理的優位性

ＡＳＥＡＮは、タイ、インドネシア、マレーシア、フィリピン、シンガポールの５カ国が「バンコク宣言」を締結し、１９６７年に結成されました。

時は冷戦時代。発足当初のＡＳＥＡＮには、東西両陣営の対立のなかで、反共産主義としてまとまるという政治的な目的が一つありました。当時の東南アジアでは共産主義の拡大による影響が懸念されており、共同して対処することが安全保障上、最大の課題だったわけです。つまり、域内諸国主導型であることを明確にして、地域の安定化と平和と安全の追求を目的としていました。

そのなかでも中心的な役割を果たしたのはタイでした。

【図4−9】東南〜南アジア諸国の旧宗主国とタイ

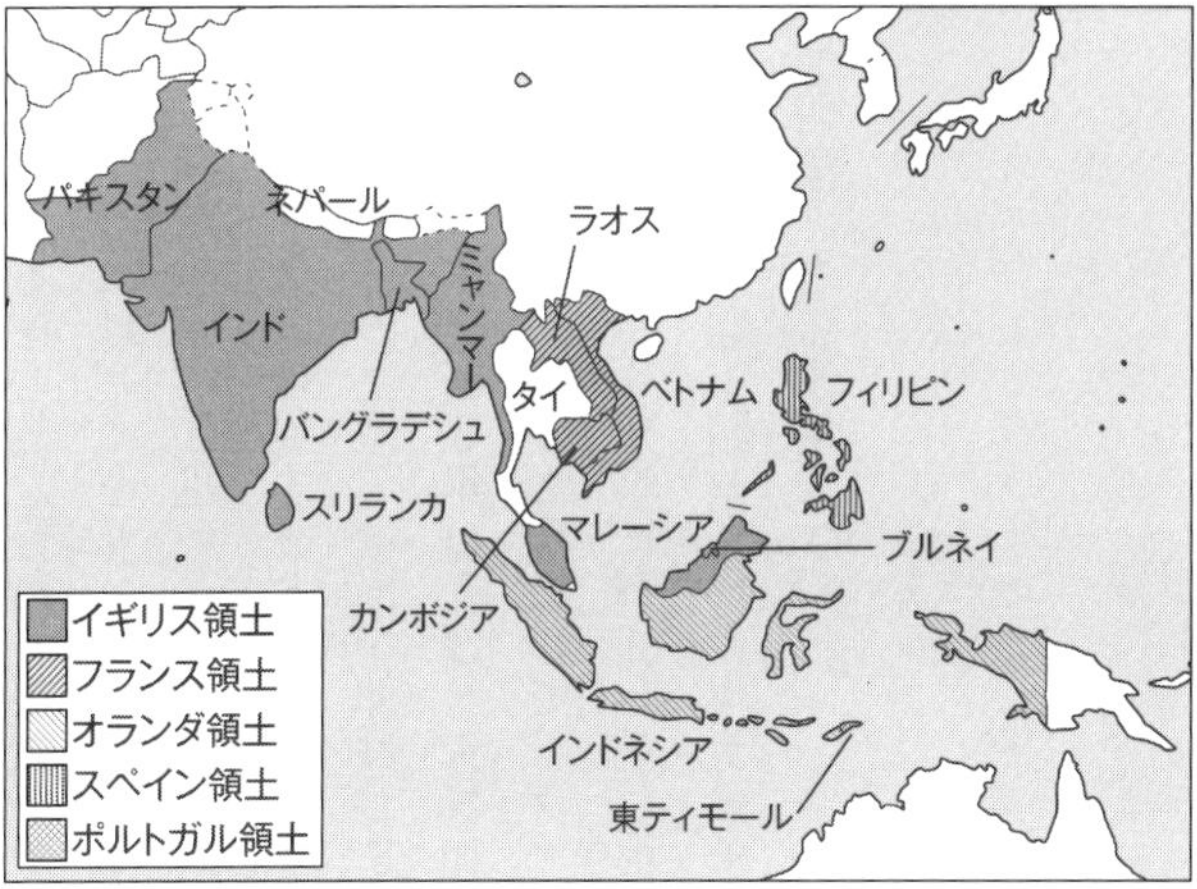

タイは東南アジアで唯一、植民地支配を経験していない国です。周囲の国々が欧米列強による支配を受けていた一方で、タイは独立を維持し、地域の均衡を保つ役割を担ってきました。周辺国の旧宗主国を見れば、タイが英仏の緩衝国になっていたことが見て取れます。タイの地理的優位性がもたらした、歴史的背景といえるかもしれません。

こうした歴史的経緯と地理的条件から、ＡＳＥＡＮの設立と発展においても中心的な役割を果たしてきました。

１９８４年には、イギリスから独立したブルネイが加盟。さらに１９９１年のソ連崩壊後に新たな国々を迎え入れ、ＡＳＥＡＮは拡大してきました。

例えばベトナムは、１９８６年に始まる「ドイモイ政策」という経済改革によって米やコーヒー豆の生産・輸出を伸ばしました。こうして一定の経済力をつけたことが、ソ連崩壊後、１９９５年のＡＳＥＡＮ加盟につながりました。

そのベトナムに続くようにして、ラオス（１９９７年）、ミャンマー（１９９７年）、カンボジア（１９９９年）が加わり、現在の加盟国は10カ国です。さらに２０２２年には、長年、加盟申請していた東ティモールについても承認の合意に達し、今後は正式な加盟国となる予定です。

ＥＰＡ——経済同盟も一つ見誤れば、国家の危機を招きかねない

日本とシンガポールのＥＰＡ、日本とメキシコのＥＰＡ——どこに違いがあったのか？

他国と結ぶ貿易協定においても、地理的条件が関係してくるのは珍しいことではありません。

まず、貿易協定とは何か。ＦＴＡ、ＥＰＡというのは聞いたことがあると思いますが、これらが具体的にどんなもので、どういう違いがあるかご存じでしょうか？

その点からいきましょう。

自由貿易協定（ＦＴＡ）とは、主に関税削減や撤廃を通じて貿易障壁を緩和し、国際貿易を促進するための協定です。重点は貿易自由化にあり、関税や数量規制などの

貿易障壁を緩和することで国内外の市場へのアクセスを拡大し、輸出入の増加を目指すものです。

一方、経済連携協定（ＥＰＡ）とは、ＦＴＡの貿易自由化の要素に加えて、サービス貿易、投資、知的財産権、政府調達、環境や労働問題、競争政策など幅広い分野での多国間協力に関する取り決めのこと。これにより経済全体の活性化や国際競争力の向上が期待されます。

まとめると、ＥＰＡはＦＴＡよりも包括的で、貿易だけでなく経済全体の連携を深めることを目的としているわけです。

そのうえで今回、取り上げたいのは、日本とＥＰＡを結んでいる2つの国、シンガポールとメキシコです。同じＥＰＡでも、両国の地理的条件によって締結までの道のりや締結後の動向は異なっていました。

日本がシンガポールとＥＰＡを結んだのは２００２年のこと。日本にとって初のＥＰＡでしたが、非常にすんなりと締結に至りました。

シンガポールは世界でも有数の貿易立国であり、日本にとっても重要な貿易相手国の一つです。ＥＰＡには両国間の関税の大幅な削減や投資の自由化、知的財産権の保護強化などが盛り込まれました。

日本とシンガポールのＥＰＡが円滑に締結され、その後も問題なく運用されているのは、貿易面での利益相反が少なかったからでしょう。関税が大幅に削減されることは、国内企業の競争力が相対的に下がるということですが、シンガポールと日本の間には、そうした摩擦が起こりづらかったといえます。

例えば日本もシンガポールも、農産物は主力輸出品目ではありません。

つまり農産物の関税が大幅に削減、撤廃されたところで、シンガポールから入ってくる安い農産物が日本の農家にとって打撃になることも、その逆も起こりづらいことは予測できました。これが、日本とシンガポールの間で非常にすんなりとＥＰＡが締結された一因です。

他方、メキシコとは２００５年にＥＰＡが締結されましたが、シンガポールのときとは打って変わって難航しました。

というのも、メキシコの対日輸出品目は「豚肉」「果実と野菜」など農産物の占める割合が高く、EPAによって日本の農家が打撃を受けることが懸念されたため、調整に時間がかかったのです。結局、農産物に関しては一部の品目に限って関税を削減するということで妥結しました。

メキシコとのEPAで新たに開けた販路

とはいえ、メキシコとのEPAが日本にとって悪い話だったわけではありません。

メキシコは当時、カナダ、アメリカ合衆国との間で北米自由貿易協定（NAFTA）を結んでいました。現在は後継のアメリカ・メキシコ・カナダ協定（USMCA協定）が発効されています。

そのため、メキシコとのEPAは、日本にとって単にメキシコへの販路が開けるだけではなく、メキシコからアメリカ合衆国やカナダへの販路の拡大が期待できるものでもありました。現に日本の自動車メーカーのなかには、メキシコに製造拠点を築いている企業もあります。特に日本の製造業やサービス業にとっては、大きな機会創出につながりました。メキシコの人口が2005年の段階ですでに1億を超えていた（2022年は1億2750万人。国連統計）ことを考えれば、メキシコ市場の取り込みもまた十分な魅力があったといえます。

ナイジェリア――民族間対立に外国が介入した理由は「石油利権」

奴隷貿易の時代、「黒いユダヤ人」と呼ばれたイボ族

石油といえば中東地域を思い浮かべる人が多いことでしょう。

ただ、石油の利権も関係して複雑化している中東情勢には前章で触れたので、ここではアフリカのナイジェリアに焦点を当てたいと思います。実はナイジェリアでも石油絡みの紛争が起きた歴史があるのです。

ナイジェリアは、西アフリカに位置する国で「人工ブロック」と称されることがあります。イギリスからの独立直後は北部州、西部州、東部州の3つしかなく、それぞれの州で言語や州境、教育、社会構造が異なりました。その後細分化されて現在は36州からなり、国内には250とも、300ともいわれるほどの民族が存在しますが、多数派となっている3つの民族が存在します。

ナイジェリア北部に多いハウサ族、南西部に多いヨルバ族、南東部に多いイボ族です。ハウサ族とヨルバ族は多くがイスラーム、イボ族はキリスト教をそれぞれ信仰しています。一般に「ハウサ族」とは、「ハウサ語を母語とする集団」であり、それぞれ異なる民族から形成されているのが現実のようです。彼らはイスラームを信仰していたこともあり、既存の首長を介した間接支配を行ったため、イギリス植民地時代においても西欧的な価値観を受け入れることはなかったようです。またイボ族が生活するナイジェリア南東部はツェツェ蠅が多かったこともあって、その危険性からハウサ語を話す集団に取り込まれることがなかったといいます。そして、イギリス植民地時代においてはロイヤル・ニージャー・カンパニーを介した直接支配が行われたため、西欧的価値観が普及しました。結局これが、イボ族が他の民族に先んじて高等教育を受ける土台となり、ナイジェリアにおける専門的な職業に就く者が多かったといいます。また、イボ族は商才にも長けていたため、「黒いユダヤ人（ブラック・ジュー）」とも呼ばれていました。これが他の民族からの嫉妬を生んでいきます。

それにしても、アフリカの話をするときに限って「部族」という言葉が一般に用いられるのはなぜなのでしょうか。旧ユーゴスラビアの崩壊は「民族対立」と称されるにもかかわらず、アフリカにおける民族対立は「部族対立」となります。これもまたヨーロッパのアフリカに対する蔑視が根底にあるのかもしれません。

1967年、イボ族が多く住む東部州が、「ビアフラ共和国」としてナイジェリアからの分離・独立を宣言したことをきっかけとして、ビアフラ戦争が勃発しました。

これは、前年の1966年にイボ族の将校が起こした軍事クーデターに対し、ハウサ族が反クーデターを起こしたことが背景にあります。

要するに、せっかく起こしたクーデターをひっくり返された反動として、イボ族の

【図4-10】ナイジェリアの多数派3民族の分布

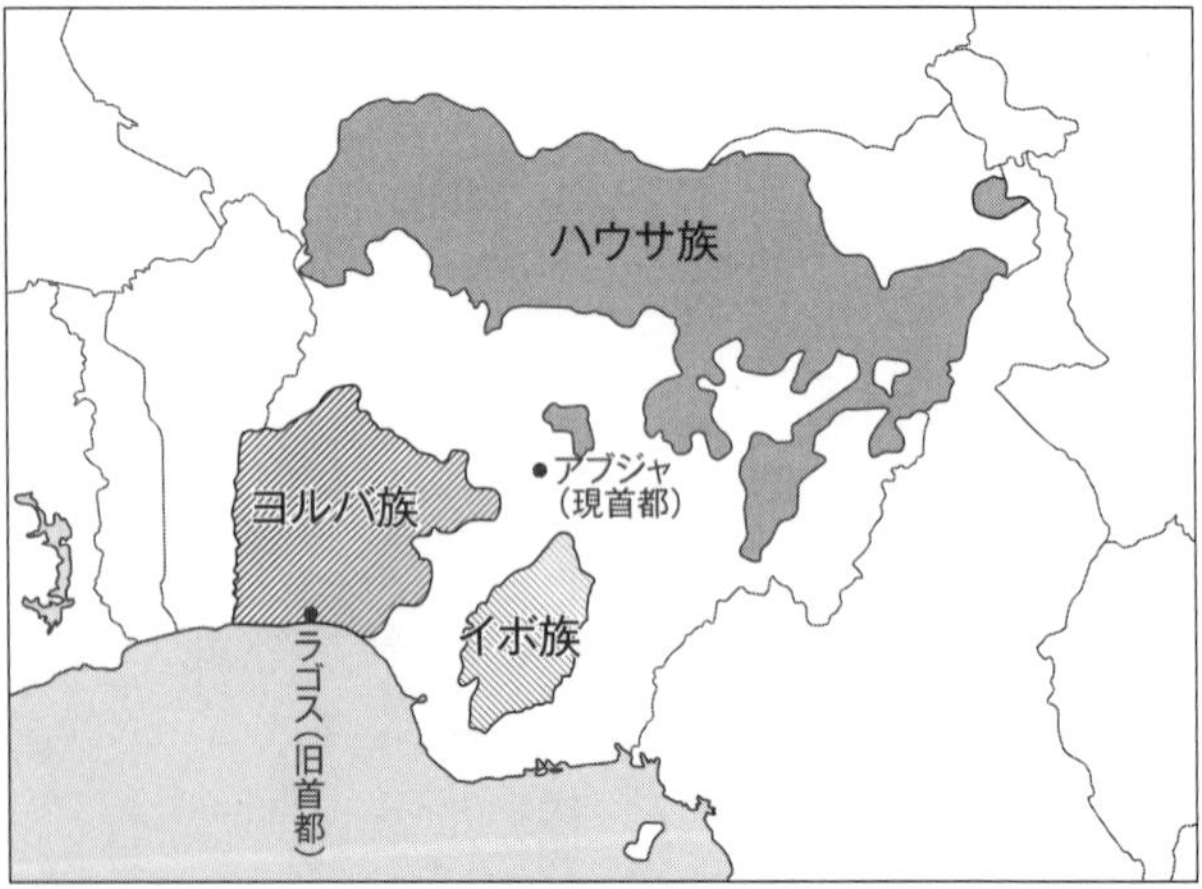

(出典)オーストラリア政府 外務貿易省「DFAT 国別情報報告書　ナイジェリア」(2020)

間で独立志向が高まり、ビアフラ共和国の宣言となったわけです。

この独立志向の高まりには、イボ族の勢力範囲で石油の埋蔵が発見されたことも大きく関係していました。石油がとれるのなら1つの「産油国」として独立し、自分たちだけで石油ビジネスをやって食っていきたい。そのほうが豊かになれるだろうというわけです。

戦争初期の段階では、イボ族のビアフラ軍が一時的に軍事的優勢を築き、独立宣言後の数カ月でナイジェリア領土の一部を占領しました。しかし1968年に入ると、同じイスラーム教徒であるハウサ族とヨルバ族が連合したナイジェリア軍が反攻を開始し、徐々にビアフラ軍を圧倒しました。

1969年にはビアフラの領土はさらに縮小していきます。国際的な支援も限定的だったために、ビアフラでは食糧不足が深刻化。国際社会は救援活動を展開しましたが、十分な支援が行き渡ることはなく、多くの子供を含む民間人が飢餓によって命を落としました。

ビアフラ戦争では、ハウサ族（主に北部出身）を中心とするナイジェリア軍と、イボ族（主に南東部出身）を中心とするビアフラ軍が戦いました。

戦争中には、両軍による市民への攻撃や虐殺が報告されていますが、特にひどかったのは、ナイジェリア軍によるビアフラ地域の経済封鎖です。その結果、深刻な食糧不足や医療品不足が起こり、多くのイボ族市民が飢餓に苦しむことになったのです。

1970年1月、ついにビアフラ共和国は降伏し、2年半に及ぶ内戦は終結しました。戦争の犠牲者は数十万人とも200万人ともいわれており、その多くが民間人でした。

戦争後、ナイジェリア政府は民族間の融和と統一を目指す政策を推進しましたが、民族間の対立や不信感が完全に解消されることはありませんでした。

奴隷貿易が行われていた時代には黒人による黒人狩りも行われていたため、ひょっとすると、そうした歴史的対立もあったのかもしれません。その後、経済力をつけたイボ族は、教育や商業でも秀でることとなり、そのためにハウサ族など他の民族の敵愾心を煽ることになりました。彼らの憎しみと対立の歴史は、それほど根が深いのかもしれません。

ビアフラ戦争も、そんな憎しみと対立の歴史の一部といえますが、この内戦には、実は他国も絡んでいました。

ビアフラ戦争が勃発すると、イギリスとソ連はナイジェリア軍、フランスと南アフリカ共和国はビアフラ共和国を支援することを表明しました。

ソ連がナイジェリア軍を支援したのは、アフリカに一つも植民地をもっていないため、「ナイジェリア軍を支援しておけば、おいしい思いができるかも？」という下心からでしょう。

また、イギリスはナイジェリアの旧宗主国です。かつての植民地の現状変更はあまり歓迎できないことなので、イボ族の独立を阻止すべくナイジェリア軍支持に回ったと考えられます。

ビアフラ戦争を機に、フランスと南アフリカのエネルギー戦略が変わった？

一方、イボ族を支持したフランスと南アフリカ共和国の目的は、ナイジェリア東部の石油資源でした。

非産油国のフランスは、他国よりも有利に石油を確保する道筋をつけたい。同じく非産油国である南アフリカ共和国には、アパルトヘイト（人種隔離）政策が国際的に非難を浴びており、なかなか石油を融通してもらうことが難しかったという事情がありました。

そこへ起こったのが、石油資源を背景としたイボ族たちの独立戦争でした。イボ族を支援し、晴れて勝利すれば石油の利権を獲得できる——ということで両国はビアフラ共和国に賭けたのです。

しかし結果は、ビアフラ共和国の敗北でした。

すっかり目論見が外れてしまったフランスは、中東地域や北アフリカの産油国との関係を強化するとともに、自前のエネルギー源として原子力発電所の建設をさらに推進していきます。

安定した原油供給が保証されているわけではないなか、フランスは、原子力発電割合が世界最大となっていきました。その大きな要因の一つとなったのが、石油を目当てに後方支援したビアフラ共和国の敗北だったというわけです。

また、南アフリカ共和国はビアフラ戦争後、アフリカ大陸での石油資源の確保に注力しつつ、自国の豊富な石炭資源を活用した発電設備を整備して、エネルギー供給の安定化を図りました。南アフリカ共和国にはドラケンスバーグ山脈という古期造山帯山脈があり、そこで石炭が豊富に産出できます。

南アフリカ共和国では、石炭に加えて鉄鉱石も豊富にとれます。ということは「鉄」がつくれるので、南アフリカ共和国は、実は自動車生産に向いている土地柄です。

これは海外の自動車メーカーからすれば、人件費が安く、かつ原材料を現地調達できる工場をもてることを意味します。いくら人件費が安い国に工場を建てても、そこに、また別の国から原材料を輸入しなくてはいけないとなるとコストがかさみます。

したがって、原材料を現地調達できる工場というのは大きな魅力なのです。また、アパルトヘイト廃止後の経済成長によって自動車購買層が拡大し、その需要を取り込むことも海外自動車メーカーにとってはメリットです。南アフリカ共和国において、生産台数（55万５８８９台）に占める販売台数（52万９５６２台）の割合が、およそ95％を占めることからもわかります（２０２２年、ＯＩＣＡ）。

現にドイツのＢＭＷが最初につくった海外工場は南アフリカ共和国でした。その他、イギリス、オランダの自動車メーカーも南アフリカ共和国に工場をもっています。

日本の自動車メーカーだと、トヨタ自動車やＮＩＳＳＡＮ自動車の生産台数が多いのが特徴です。また、いすゞ自動車が、新型ピックアップトラックを南アフリカ工場で生産し、南アフリカ共和国を含むアフリカ諸国を中心に34カ国に向けて売り出すことを決定しました。それに合わせて、2022年5月、47億円もの資金を南アフリカ共和国の取引先支援のために投じています。

話をエネルギー戦略に戻すと、南アフリカ共和国は再生可能エネルギーの導入や技術開発も推進しています。特に太陽光発電や風力発電は世界的にも注目されています。

ビアフラ戦争は、ナイジェリア国内だけの事情を見れば、歴史的因縁のある民族同士の対立が内戦に発展したものでした。

しかし、イボ族の勢力範囲で「石油」が見つかったという地理的条件を加え、かつ国際的な視野で眺めてみると、他国のエネルギー政策に大きく影響する戦争でもあったということが見えてくるのです。

南アフリカ――天下の悪法「アパルトヘイト」は、なぜ見逃されてきたか

スエズ運河開通に勢いを得たイギリス、南アフリカに打って出る

エジプトのスエズ運河は1869年に開通しました。

これはイギリスにとって非常に都合のいいことでした。というのも、イギリスは1858年よりインドを事実上植民地としていました。スエズ運河の開通以前は、大西洋からアフリカ大陸の南側をぐるりと回り込む形でインド洋へ出るしか、インドに至る航路がなかったからです。そのため、1795年より植民地としていたケープに存在意義がありました。

そこへスエズ運河が開通したことで、地中海からスエズ運河を経て紅海→インド洋というルートが開け、イギリス・インド間の航路は約半分に短縮されました。

【図4−11】スエズ運河開通で
イギリス・インド間の航路は約半分になった

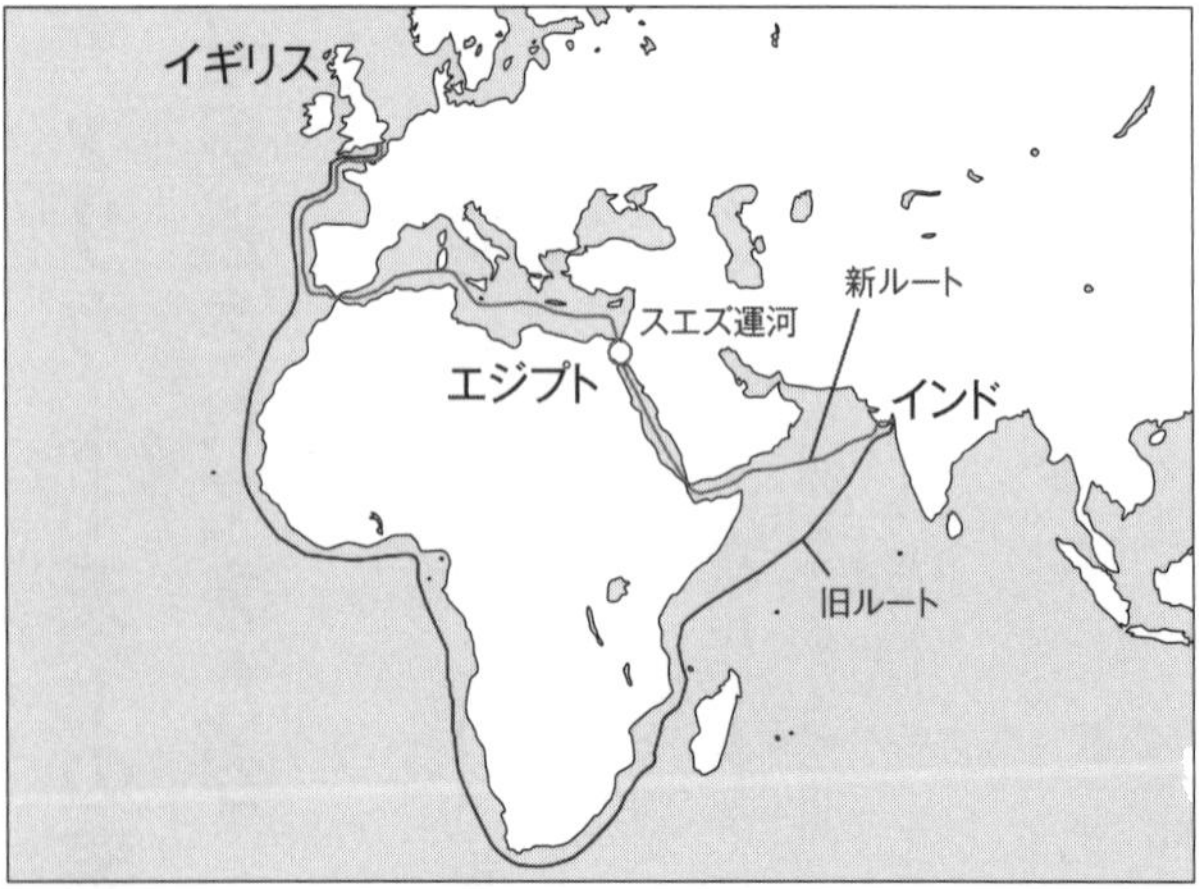

イギリスは1882年にエジプトを事実上の保護国とし、さらに1899年には隣接するスーダンを、エジプトとの共同統治下に置きました。

図4−11で両国の位置関係を確認しましょう。スエズ運河がイギリスにとってどれほど重要であったかが伝わってくるはずです。エジプトとスーダンを影響下に置くことで、スエズ運河と、それに続く紅海を安全に運用しようというのがイギリスの狙いでした。

さらにイギリスは、南アフリカにも打って出ます。

といっても、スエズ運河を掌握していれば、もうイギリスは南アフリカ回りでインドに行く必要はありません。南アフリカに対するイギリスの野心には、次のような理由がありました。

①南アフリカの「資源」が欲しかった——南アフリカには金やダイヤモンドなど豊富な天然資源がありました。現にトランスバール共和国は、１８８６年にヨハネスブルグで金が発見されて以降、急速に経済成長を遂げていました。イギリスはこれらの資源を支配したかったとされています。

②列強による「アフリカ分割」競争に勝ちたかった——19世紀後半は「アフリカ分割」と呼ばれます。ヨーロッパ列強がアフリカの植民地化を競っており、イギリスもまたアフリカ全土で影響力を拡大しようとしていました。スエズ運河を掌握し、インドへの効率的な航路を確保するだけでは飽きたらなかったわけです。

③植民地支配の安定化を図りたかった——スエズ運河が開通してもなお、イギリスは

南アフリカを支配下に置くことで、インドへの海上ルートを確保したいと考えていました。南アフリカの広い範囲を支配すれば、大西洋とインド洋の間の戦略的な拠点を維持することができます。つまり、シーレーンの確保です。そうすることで、アフリカ大陸における植民地体制の盤石化を図りたかったわけです。

④イギリス人入植者を保護したかった——当時、南アフリカには多くのイギリス人が移住していましたが、彼らは、南アフリカにオランダ系移民が築いたオレンジ自由国とトランスバール共和国の支配下で、差別や不平等な扱いを受けていました。

イギリス政府は、南アフリカに打って出ることでイギリス人居住者の権利と利益を保護し、地域の安定を確保することを目指していました。南アフリカにおけるオランダ系移民の支配力を弱めることで、イギリス人居住者がよりよい待遇を受けられるようにすることを期待していたのです。

こうして1899年に勃発したのが、南アフリカ戦争（第二次ボーア戦争）でした。

1880～1881年の第一次ボーア戦争では、イギリスを退けたオレンジ自由国とトランスバール共和国でしたが、第二次ボーア戦争ではイギリスに敗北。両国ともにイギリスの支配下に置かれることになりました。

アパルトヘイト廃止が「1994年」だったのは歴史的必然

さて、「現代史」と銘打った本書で、なぜ19世紀末に起こった戦争について紙面を割いてきたかというと、これからお話ししていきたい現代史を理解するために不可欠だからです。

１９１０年、イギリスが統治するケープ植民地、ナタール植民地、トランスバール共和国、オレンジ自由国の４地域が合併され「南アフリカ連邦」が設立されます。さらに１９６１年には連邦制が廃止され、単一の主権国家「南アフリカ共和国」になりました。

南アフリカ共和国というと、「アパルトヘイト政策」を思い浮かべる人は多いと思います。

１９４８年に始まる白人優遇の人種隔離政策ですが、このアパルトヘイト政策には第二次ボーア戦争が密接に関わっています。

南アフリカ戦争は、結果的に、イギリスに敗北したアフリカーナーたちのアイデンティティの強化につながりました。イギリスとの戦争を通じて、彼らの間で「南アフリカに生きるオランダ系移民（白人）」としての独自性と連帯性が強まったことが、やがてアパルトヘイト政策を支持する精神構造へと変遷していきます。

改めて指摘するまでもなく、アパルトヘイトは非人道的な政策です。それが1994年、つまりほんの30年ほど前まで健在だったことには、実は地理的な理由があるのです。

そこを読み解くカギは「冷戦」と「レアメタル」です。

冷戦時代は東西間の交流が困難でした。そんななか、南アフリカ共和国は、西欧諸国にとって貴重なレアメタル供給源でした。

早い話が、西欧諸国には「南アフリカのレアメタルが欲しいから、ひどい政策が敷かれていても文句を言いづらい……」という、背に腹は代えられぬ事情があったわけです。南アフリカ共和国としても、「レアメタルが欲しかったら、うちらの政策に賛同できなくても目をつむってくれよな！」と強気でした。

1991年にソ連が崩壊、冷戦が終結し、東西の交流が以前よりも容易になると、レアメタル供給地としての南アフリカ共和国の価値は相対的に下がりました。

となれば西欧諸国は、堂々と「前々から思ってたけど、おたくらのアパルトヘイト政策かなり非人道的だから！」と表明できます。かくして西欧諸国は掌返しで南アフリカに対して経済制裁を行い、それによって困った南アフリカ共和国は、ついにアパルトヘイトの撤廃を決定しました。

この背景を知ったうえでなら、アパルトヘイトが「1994年」、つまり「冷戦終結後」に廃止されたのも歴史上の必然といえます。

どのみち「大国に翻弄される」宿命のアフリカ

さてアフリカがレアメタルの宝庫であるという事実は、もちろん今も変わりません。

経済産業省資源エネルギー庁の資料から抜粋した図を見ると、アフリカ大陸のあり

【図4−12】アフリカの資源の賦存状況

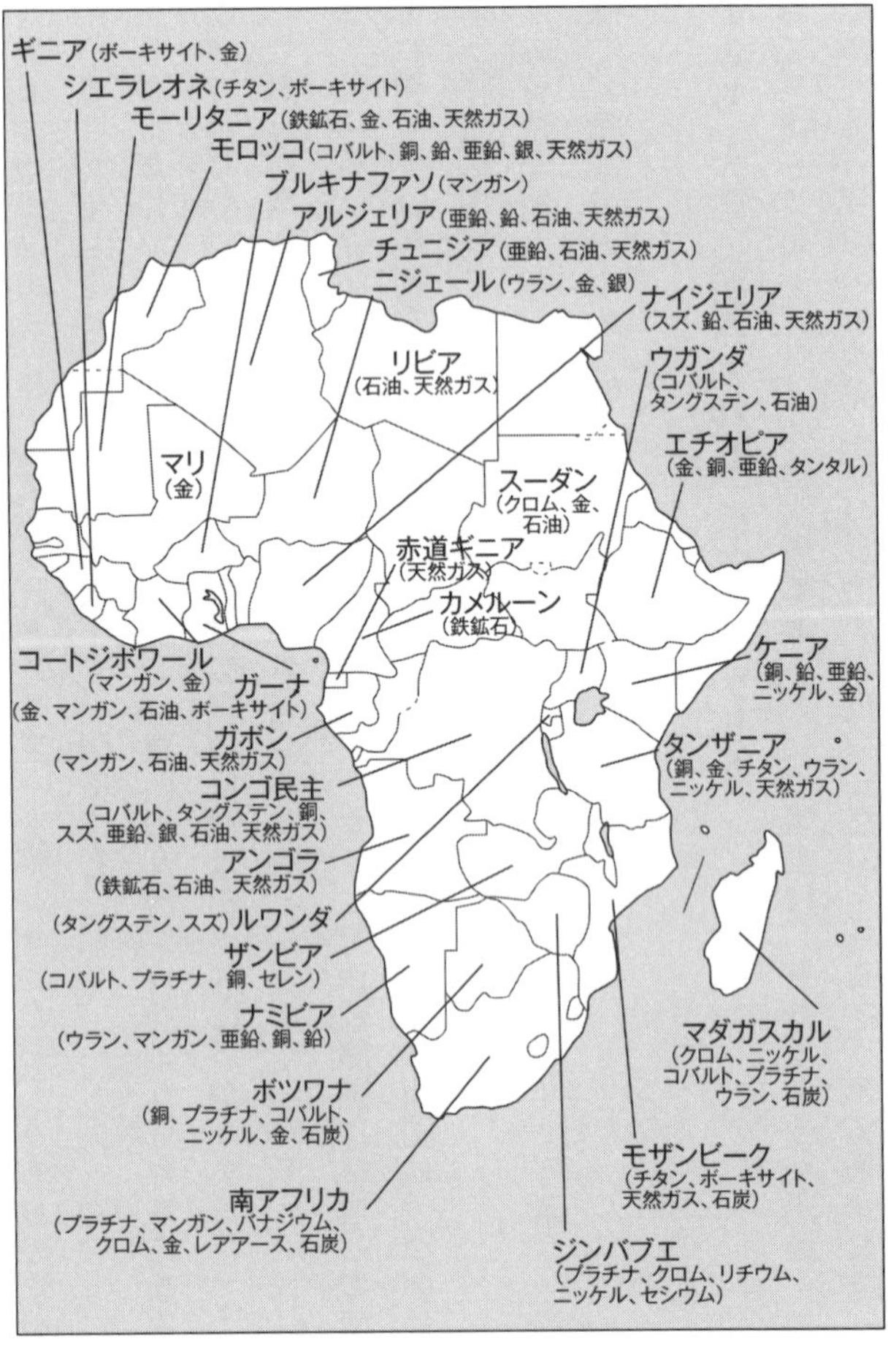

ギニア（ボーキサイト、金）
シエラレオネ（チタン、ボーキサイト）
モーリタニア（鉄鉱石、金、石油、天然ガス）
モロッコ（コバルト、銅、鉛、亜鉛、銀、天然ガス）
ブルキナファソ（マンガン）
アルジェリア（亜鉛、鉛、石油、天然ガス）
チュニジア（亜鉛、石油、天然ガス）
ニジェール（ウラン、金、銀）
ナイジェリア（スズ、鉛、石油、天然ガス）
リビア（石油、天然ガス）
ウガンダ（コバルト、タングステン、石油）
エチオピア（金、銅、亜鉛、タンタル）
マリ（金）
スーダン（クロム、金、石油）
赤道ギニア（天然ガス）
カメルーン（鉄鉱石）
コートジボワール（マンガン、金）
ガーナ（金、マンガン、石油、ボーキサイト）
ケニア（銅、鉛、亜鉛、ニッケル、金）
ガボン（マンガン、石油、天然ガス）
タンザニア（銅、金、チタン、ウラン、ニッケル、天然ガス）
コンゴ民主（コバルト、タングステン、銅、スズ、亜鉛、銀、石油、天然ガス）
アンゴラ（鉄鉱石、石油、天然ガス）
（タングステン、スズ）ルワンダ
ザンビア（コバルト、プラチナ、銅、セレン）
ナミビア（ウラン、マンガン、亜鉛、銅、鉛）
マダガスカル（クロム、ニッケル、コバルト、プラチナ、ウラン、石炭）
ボツワナ（銅、プラチナ、コバルト、ニッケル、金、石炭）
モザンビーク（チタン、ボーキサイト、天然ガス、石炭）
南アフリカ（プラチナ、マンガン、バナジウム、クロム、金、レアアース、石炭）
ジンバブエ（プラチナ、クロム、リチウム、ニッケル、セシウム）

とあらゆるところに鉱産資源が眠っていることがわかります。

これだけ資源が豊富な地域だからこそ、アフリカ大陸は、常に大国の熱い視線を浴びてきたわけです。特に現在、そこに何とか勝機を見出そうとしているかに見えるのがロシアです。

2023年1月から2月にかけて、ロシアのセルゲイ・ラブロフ外務大臣が南アフリカ共和国、エスワティニ、アンゴラ、エリトリア、マリ、モーリタニア、スーダンを訪問しました。本項では特にマリに注目します。

2月7日にマリを訪問したラブロフ外務大臣は、マリへの武器供与や要員派遣などの軍事的支援の継続を約束します。大義名分は「サヘル地域やギニア湾岸諸国が直面するテロとの戦いに勝利するための支援」であり、マリの軍事政権とロシアの関係が緊密になりつつあることを示す象徴といえます。

この訪問の意味合いを理解するには、少し時を遡る必要があります。

マリは2012年にクーデターが発生して以来、政情が不安定となっていました。そこで治安維持を担っていたのはマリの旧宗主国フランスだったのですが、フランス軍はすでに撤退し、それと前後してロシアが影響力を拡大してきたのです。

まず2012年のクーデターとは、おおよそ次のような経緯で起こったものです。

サハラ砂漠のあたりには、イスラームを信仰するトゥアレグ族という遊牧民が生活していました。もともと砂漠には「国境」という概念がないため、トゥアレグ族は広い範囲で交易を行っていました。しかしヨーロッパ列強によって国境が引かれると、それぞれの国での少数民族となっていきます。

2011年、リビアのカダフィ政権が崩壊。これをきっかけに、リビアにいたトゥアレグ族がマリへと入り、アザワド解放民族運動（MNLA）を結成します。

MNLAはマリ北部を制圧して独立宣言を出しますが、後にイスラーム過激派組織アンサル・ディーンに乗っ取られてしまいます。ここでフランスが治安維持に乗り出し、紛争が泥沼化していきます。

マリ北部にフランス軍が駐留する真の目的は、マリ北部に多く埋蔵されている金やウランの開発を維持することであったとされています。しかも、実はフランス政府はＭＮＬＡを公然と支援してきた事実があるのです。イスラーム過激派組織を退け、さらに北部に眠る鉱産資源の「防人《さきもり》」としてＭＮＬＡを利用しようという考えでしょう。

先に述べたビアフラ戦争でも、フランスは、イボ族居住地域に眠る石油利権を目当てにイボ族の独立を支援しました。要は「鉱産資源に対する既得権益を持つこと」を目的として動くというのが、フランスの「新植民地主義」ともいえるアフリカ諸国への対応なのです。

しかし結局のところ、マリにおけるフランスの治安維持は状況を改善させることはできませんでした。マリ国内では反フランス感情が高まり、その後、軍部によるクーデターが発生するに至ります。

２０２１年12月、フランス軍はマリのトンブクトゥ市から撤退を決定。そこにやってきたのがロシアでした。「フランスがイスラーム過激派組織の制圧を怠っているからこそ混乱が生じている。それを我々が制圧してみせます！」と、民間軍事会社のワグネルが反フランス感情を煽っている節があったといえます。

2022年2月には、フランス政府とマリ政府との緊張関係、そしてワグネルと西アフリカ諸国の取引決定を受けて、フランスはマリからの軍隊の撤退を決めます。

実は2021年9月、フランスの軍事大臣フロランス・パルリは、マリ政府に対して、ワグネルとの取引をしないよう警告を発していました。

「ワグネルとの取引は、フランスが2012年より長年、サヘル地域のために行ってきた治安維持と矛盾する」という言い分でしたが、最終的には、フランスはマリから撤退、ロシアが取って代わったという図式になりました。

2023年2月、ラブロフ外務大臣がマリ訪問時に約束した「武器供与や要員派遣などの軍事的支援の継続」とは、その延長線上にあるものなのです。

政情不安な国を見つけては「俺が助けてやろう！」と救いの手を差し伸べるのは、ロシアや中国が今までにも散々繰り出してきた常套手段です。

特に近年、サハラ砂漠周辺地域におけるワグネルの影響力が高まっているとされています。ざっと挙げるだけでも、リビアの反政府武装組織リビア国民軍、スーダン、モザンビークなどです。

ちなみに、ロシアによるウクライナ侵略に対して、国連では6回にわたり非難決議が採択されてきましたが、直近の2023年2月の採択では、リビアは賛成、スーダン、モザンビークは棄権しています。

この結果だけ見ても「理由」まではわからないと思いますが、今なら、なぜリビアは賛成で、スーダン、モザンビークは棄権なのか、それぞれが置かれた立場から類推することができるでしょう。

リビアの賛成票は、反政府武装組織を支援しているロシアとの対立構造が浮き彫りとなりました。逆にスーダン、モザンビークは、ともにロシアの軍事支援を受けているという弱みがあります。かといって西側諸国に盾突き、ロシアと完全に運命をともにするのも無理……というわけで苦し紛れの「棄権」という実情が見えてくるのです。

ともあれ、ロシアは軍事支援を行う見返りとして、アフリカの鉱産資源の開発利権を得ていると考えるのが妥当でしょう。つまり、アフリカはロシアに治安維持を頼む見返りとして鉱産資源の開発利権を与え、ロシアは民間軍事会社を使って戦闘員を送り込むといった図式ではないかと考えられます。
「政情不安によってできた『すき間』」を狙うというわけです。かつて、その目論見を持ってきたのはフランスでした。アフリカ大陸が大国に翻弄されるのは今も昔も変わらないわけです。

南アメリカ――新たな「リチウム産出国」に早くも触手を伸ばしている国がある

電気自動車に必要不可欠なリチウム生産のライバル国は?

地球温暖化防止が「人類共通の課題」となり、全世界を挙げて取り組もうという気運が高まるなか、自動車業界では、すでにCO_2排出量の多いガソリン車から、よりクリーンと考えられている電気自動車へと注目が集まっています。

私個人としては、電気自動車へのシフトの背景の一つに、何度かのオイルショックを経た先進国の「これ以上、世界のエネルギー情勢を産油国の好きなようにさせてたまるか」という思惑があると見ているのですが……、まあ、それは置いておきましょう。

さて、電気自動車をつくるには電池をつくる必要があり、電池をつくるには大量の「リチウム」が必要です。ではリチウムの供給国はどこかというと、今まではオーストラリアがぶっちぎりの1位でした。

しかし電気自動車へのシフトが進み、リチウム需要が高まるにつれて、その他のリチウム埋蔵国が台頭してくることは間違いありません。

埋蔵量に注目すると、今後、オーストラリアのライバルになりそうなのは南アメリカ大陸の国々――具体的には、ボリビア、チリ、アルゼンチンです。

これら3カ国を結んだ「リチウム・トライアングル」にはリチウムが眠る塩原が点在しています。アメリカ地質調査所（ＵＳＧＳ）によると、埋蔵量は８８００万トン、実に世界の50％以上ものリチウムが眠っているとされているのです。

【図4−13】リチウム・トライアングルとアンデス山脈

南アメリカ大陸西部を縦断するアンデス山脈は、西側のナスカプレートが南アメリカ大陸を乗せた南アメリカプレートの下に沈み込むことで形成されました。2つのプレートが挟まることで、かつては海だった場所が海水をたたえたまま隆起したため、この地域には塩原が数多く見られるわけです。

ただしリチウム採掘を進めるには課題もあります。

リチウム採取のためには大量

の地下水を汲み上げてこれを蒸発させる必要があるため、地域の水資源が枯渇する恐れがあるのです。また、リチウム採掘に伴う自然環境破壊、劣悪な労働条件なども問題視されています。あらゆる意味で「持続可能」なリチウム生産を探ることが求められています。

「首の皮一枚」で破壊を免れたウユニ塩原

ところで、最近、中国が南アメリカの国々に急接近していることはご存じでしょうか？

そのなかには、ボリビア、チリ、アルゼンチンが含まれています。巨額の投融資によって相手国を「債務の罠」にかけ、自分の言いなりにさせるというのは、スリランカやパキスタン、アフリカ諸国でも見られる中国の常套手段ですが、それを「リチウム・トライアングル」を形成する国々にも行おうとしているようです。

今後、世界的に高まっていくであろう電気自動車の需要を見込んで、中国が、南アメリカに眠るリチウム資源の確保、もっといえば独占を狙っていることは確実です。

ボリビアには世界最大の塩原、ウユニ塩原があります。ボリビア政府は、世界のリチウム埋蔵量の70%のリチウムがウユニ塩原にあると主張しています。観光地として非常に人気があるウユニ塩原ですが、リチウム採掘によって環境が破壊される恐れがあり、地域住民の間でも懸念の声が高まっているようです。もしリチウム採掘を進めるほうに舵を切ったら、もうウユニ塩原の美しい景観を拝むことはできなくなってしまうかもしれません。

別な話として、2023年1月、リチウムトライアングルの一つ、チリにおけるリチウム採掘権を中国企業が落札したことがありました。しかし、これはチリの最高裁判所によって手続き停止が命じられました。

観光客が落とすお金よりも、リチウムを採掘・販売して得られるお金のほうが、比にならないくらい多いことは確実です。

それでも観光資源を守るか、経済成長のためには背に腹は代えられないということで、リチウム採掘に転換するか。「リチウムトライアングル」の動向には引き続き注目していきたいところです。

インドネシア――モノカルチャー経済から脱した先に待ち受けるもの

天然ゴム一本立てからパーム油との二本立てへ――東南アジアの選択

「モノカルチャー経済」という言葉を聞いたことはあるでしょうか？　これは一国の経済が特定の農産物や鉱産物など、一つ、もしくはごく少数の産業に依存している状態を指します。

言い換えれば、モノカルチャー経済とは特定の産業、「稼ぎ頭」に大きく依存しているということ。つまり経済の脆弱性が高いことも意味します。

1つ、もしくはごく少数の産業に依存していると、いざ世界経済の動向や需給バランス、価格変動などの影響で、その産業の景気が悪くなったときに一気に経済が落ち込んでしまう恐れがあるわけです。

その他、限られた産業に集中することによる環境負荷の増大、劣悪な労働条件、資源の枯渇など、近年とみに重要性が叫ばれている「サスティナビリティー（持続可能性）」「SDGs」の観点においても多くの問題を含んでいます。

そんなモノカルチャー経済で、長年、何とかやってきたのは東南アジアの国々でした。しかし近年では、少し様相が変わりつつあります。輸出品目の増加により、モノカルチャー経済から脱却しようとしている国が出てきているのです。

天然ゴムは、自動車のタイヤや各種ゴム製品など多くの産業で幅広く利用されています。「パラゴムノキ」という樹木から得られるゴム状の物質です。

パラゴムノキは南アメリカのアマゾン川流域を原産地とします。

ブラジル政府は、来るモータリゼーションを予見し、自動車のタイヤの原料となる天然ゴムを主力輸出品目とすることで、自国の経済成長の牽引役にしようと考えていました。そこでパラゴムノキを国外に持ち出すことを禁ずる法律を制定します。

ところが19世紀後半、イギリス人探検家がパラゴムノキの種子の持ち出しに成功し、一旦ロンドンにて発芽させ、当時、イギリス植民地だったマレーシアに苗木を持ち込みました。そこから東南アジア全域へと広まりました。要するに泥棒です。

東南アジアは熱帯気候が広く展開し、パラゴムノキの栽培に適しています。なかでもマレーシア、インドネシア、タイは、パラゴムノキの種子が伝来するや、あっという間に世界の天然ゴム生産の大部分を占めるようになりました。

しかし、いくら天然ゴムがタイヤの原料になるといっても、それだけでは収入が不安定です。万が一、何らかの理由でパラゴムノキが栽培できなくなり、天然ゴムがとれなくなったら、そこで農家の生活は破綻してしまいます。これがモノカルチャー経済の大きな問題点です。

パーム油の増産は、自然環境保全とのトレードオフになる

そこでマレーシアとインドネシアで始められたのが、アブラヤシの栽培でした。

アブラヤシからとれるパーム油は、食品から化粧品、洗剤、バイオ燃料など幅広い用途があり、近年、非常に需要が高まっています。今、世界でもっとも使用されてい

る植物性油脂は、菜種油でも大豆油でもなく、パーム油なのです。

といっても「パーム油」という表記自体は、あまり見かけないかもしれません。マーガリンや、油を使った加工食品・菓子類などのパッケージを見ても、「植物性油脂」としか表記されていないことがほとんどです。しかし、その「植物性油脂」の十中八九はパーム油と見ていいでしょう。それくらいパーム油は大量に生産され、輸出され、使用されているのです。

ではなぜ、パーム油はこんなに大量生産、大量消費されているのでしょうか。理由はシンプルで「生産コストが低いから」です。パーム油は、他の植物油に比べて原材料植物からの油の採取量が圧倒的に多い。そのぶん売値も安くなるわけです。

生産効率がよく、用途が幅広い。そんなパーム油ですが、問題もあります。アブラヤシ栽培地の拡大は熱帯雨林の破壊を引き起こしており、生物多様性の喪失や地球温暖化の加速といった環境問題が深刻化しているのです。

現在、パーム油の生産量では、マレーシアとインドネシアがぶっちぎりの世界トップ2です。

特に2億8000万もの人口があるインドネシアは、世界で消費されるパーム油のおよそ25％を消費しています。自国内でも大量に消費しているものを、海外にも輸出したいとなれば、当然、生産量を増やす必要があります。というわけで、インドネシアは熱帯雨林を伐採し、アブラヤシの栽培面積を拡大してきました。

みなさんが日ごろ何気なく口にしている「植物性油脂」――マーガリンや加工食品、菓子類は、広大な熱帯雨林の犠牲のもとにインドネシアで生産され、日本に運ばれてきたものということです。

それを絶対悪とはいいません。でも自分たちの生活が何に支えられて成立しているのかについては、もっと自覚してもいいのではないでしょうか。

何事においても無自覚なまま生きるか、時には「この食べ物はどこから来たんだろう？」「その背景には何があるんだろう？」という小さな疑問を出発点に、地球規模の視野をもって己の生活を振り返ってみるか。そこが、物事を見る目、考える力が鍛えられ、磨かれるかどうかの分水嶺になると思います。

著者略歴

宮路 秀作（みやじ・しゅうさく）

代々木ゼミナール地理講師、日本地理学会企画専門委員会委員。鹿児島市出身。「共通テスト地理」から「東大地理」まで、代々木ゼミナールのすべての地理講座を担当する実力派。地理を通して、現代世界の「なぜ?」「どうして?」を解き明かす講義は、9割以上の生徒から「地理を学んでよかった！」と大好評。2017年に刊行した『経済は地理から学べ！』はベストセラーとなり、これが「地理学の啓発・普及に貢献した」と評価され、2017年度の日本地理学会賞(社会貢献部門)を受賞。またコラムニストとして、「Yahoo! ニュース」での連載やラジオ出演、トークイベントの開催、YouTubeチャンネルの運営、メルマガの発行など幅広く活動している。著書に『経済は地理から学べ！』(ダイヤモンド社)、『ニュースがわかる！ 世界が見える！ おもしろすぎる地理』(大和書房)、『目からウロコのなるほど地理講義(系統地理編)・(地誌編)』(学研プラス)、『大学入試　マンガで地理が面白いほどわかる本』(KADOKAWA)、『くわしい中学地理』(文英堂)などがある。

SB新書　626

現《げん》代《だい》史《し》は地《ち》理《り》から学《まな》べ

2023年 8月15日　初版第1刷発行

著　　者	宮路秀作《みやじしゅうさく》
発 行 者	小川 淳
発 行 所	SBクリエイティブ株式会社 〒106-0032 東京都港区六本木2-4-5 電話：03-5549-1201（営業部）
装　　丁	杉山健太郎
D T P	株式会社ローヤル企画
地　　図	株式会社周地社
編集協力	福島結実子
編　　集	齋藤舞夕（SBクリエイティブ）
印刷・製本	大日本印刷株式会社

本書をお読みになったご意見・ご感想を下記URL、
または左記QRコードよりお寄せください。
https://isbn2.sbcr.jp/17332/

落丁本、乱丁本は小社営業部にてお取り替えいたします。定価はカバーに記載されております。
本書の内容に関するご質問等は、小社学芸書籍編集部まで必ず書面にて
ご連絡いただきますようお願いいたします。

ISBN　978-4-8156-1733-2